De geest van Beaumont

Gerard Sonnemans

De geest van BEAUMONT

Uitgeverij Menuet

Voor Judith

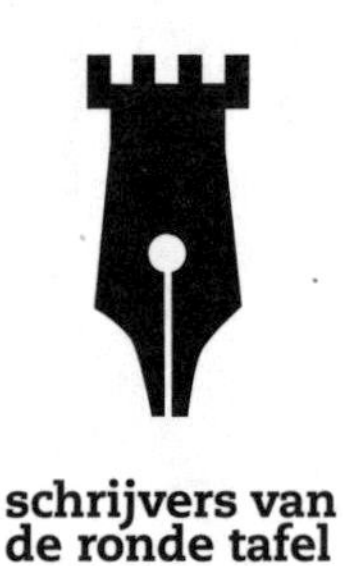

De geest van Beaumont

Opmaak binnenwerk en omslag: Jaap Verheij

Druk: Bal Media

ISBN 978-94-91707-06-3
NUR 283

Ontdek de geheimen van Beaumont met de QR-codes

Achter elk hoofdstuk staat een foto met daarin een QR-code. Dat zijn die vierkante blokjes met spikkeltjes.

Elke QR-code verwijst naar een verborgen pagina op het internet. Ze geven allemaal een schat aan informatie prijs: weetjes over Emma en haar familie; over hun vakantiehuis en hun buren; over de streek waar ze op vakantie gaan en wat daar allemaal te beleven is; over oude foto's en brieven die in het verhaal een rol spelen; en natuurlijk ook over de geest van Beaumont...

Je kunt de QR-codes met je tablet of smartphone scannen. Als je wilt weten hoe dat werkt, kijk dan op de website www.degeestvanbeaumont.nl

Kraak de codes en ontdek wat het boek niet vertelt!

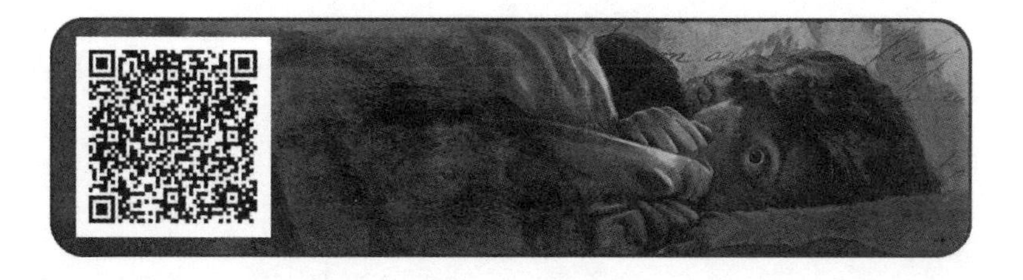

1

'Kijk daar!' riep mama.

Emma schrok wakker met een kramp in haar nek.

'Ja, ik zie ze,' zei Steven.

'Wat?' vroeg Emma slaapdronken. Het enige dat ze zag, was het bordje Beaumont waar ze langs reden.

'Twee konijntjes.' Steven wees door het zijraampje naar de berm, maar daar schenen de koplampen van de auto allang niet meer.

Emma had ze weer gemist! Iedereen zag altijd alles, maar zij was steeds te laat. Thomas hield haar er vaak mee voor de gek. 'Moet je daar zien,' riep hij dan. 'Een overreden everzwijn!' Of: 'Een vos met een kip in zijn bek.' Of: 'Een buizerd die zich op zijn prooi stort.' Hij beweerde de meest fantastische dingen te zien. Thomas kon haar alles wijsmaken. Behalve dat van die blauwgestreepte zebra.

'Leuk, zo'n welkomstcomité,' zei pap. 'Het lijkt wel of ze hier al de hele avond op ons zitten te wachten.' Hij minderde vaart en reed het dorpje binnen. De halfvolle maan legde een spookachtig schijnsel over het kasteel en de huizen.

Emma ging met haar neus tegen het raampje zitten om alles goed te kunnen zien. De toren die boven de kasteelmuur uitstak, de schuur met het ingestorte dak, de put midden op het dorpsplein. Alles was in diepe rust.

'Maison De Leeuw,' zei pap. 'Eindstation van deze reis. U wordt vriendelijk verzocht allemaal uit te stappen. Vergeet u bij het verlaten van het rijtuig uw bagage niet.'

Gammel rolden de kinderen de auto uit.

Emma voelde botten en spieren waarvan ze niet eens wist dat ze bestonden. Niet vreemd na negen uur op de achterbank van een auto zitten. Het kon haar niets schelen. Je moest wat overhebben voor je vakantie. Met een beetje rekken en strekken haalde ze zichzelf uit de kreukels.

Terwijl ze zich uitrekte, tuurde ze omhoog naar een adembenemend schouwspel. Het was net of de hemel in Frankrijk een stuk dichterbij was dan in Nederland. De maan en sterren waren er veel helderder. Ze zag zelfs de complete Melkweg. Ze zou er uren naar kunnen kijken, dromend dat ze kon vliegen door de tijd en door de ruimte, langs de Melkweg en weer terug. Maar nu even niet.

'Kom op, jongens,' zei mam, terwijl ze de achterklep opende. 'Pak eens mee aan. Het huis moet uit zijn winterslaap worden gewekt en de auto leeggeruimd.'

Emma greep haar kussen en knuffel van de achterbank. Dat vond ze voorlopig wel genoeg om te dragen. In haar buik zette opeens een grote druk op. 'Opschieten, pap. Ik moet heel nodig plassen.'

'Even geduld, dametje,' bromde pap. ´Doe de koplampen nog maar even aan. Ik zie geen steek.'

Mam opende het portier en klikte de lampen aan.

Pap stond op het stoepje met de drie treden, zoekend naar het slot in het luik van de voordeur. Dat was bedoeld om ongewenste gasten buiten te houden. Overal rond het huis zaten ijzeren luiken voor de deuren en de ramen. Die moesten aan het eind van elke vakantie allemaal op slot. En bij de volgende reis ging de hele boel weer open. Alsof er van alles te stelen viel, terwijl binnen alleen maar oude troep stond. Tweedehands spullen, goed genoeg voor vakanties, maar verder helemaal niks waard. Emma vroeg zich af of pap en mam bang waren dat de inbrekers die doorgezakte bank in de woonkamer mee wilden nemen. Of de koelkast waarin geen ijsjes konden worden bewaard, omdat het vriesvak niet meer werkte. Thuis in Nederland hadden ze geen luiken en zaten er geen dubbele sloten op de deur. Als de inbrekers dát maar niet ontdekten! Kwam je thuis van vakantie, waren de gloednieuwe tv en de juwelen van mam verdwenen... Daar leken pap en mam zich niet druk over te maken, maar dat luik voor de Franse voordeur moest elke keer weer dubbel in het slot.

'Ik moet dat rotding toch eens in de olie zetten,' zei pap. 'Het klemt steeds meer.' Dat nam hij zich nu al vier jaar op rij voor, maar het was het eerste dat hij weer vergat als hij eenmaal binnenkwam.

Piepend openden het luik en de voordeur zich. Pap verdween in de gapende duisternis, op zoek naar de hoofdschakelaar van de elektriciteit in de keuken. Binnen klonk gestommel en een vloek.

Emma stapte alvast de donkere hal in, met moeite haar plasspier dichtknijpend.

Eindelijk vond pap de juiste knop. Overal op de benedenverdieping klikten lampen aan.

Emma vloog naar het toilet. Ze gooide haar kussen en knuffel op de trap. Op de wc wurmde ze haar broek op haar knieën en plofte neer op de wc-bril, opgelucht dat ze het gered had. Alle cola die ze onderweg gedronken had, kwam er van onderen weer uit. Het bleef maar kletteren, voor haar gevoel wel een minuut of nog langer.

Op het moment dat ze een stuk wc-papier afscheurde, kreeg ze de schrik van haar leven. De wc onder haar leek tot leven te komen, met een oorverdovend gebruis en geborrel. Sneller dan ze naar de wc gerend was, vluchtte ze er weer af. Haar broek nog maar half opgehesen. Ze was sprakeloos van angst. Wat was dat voor eng monster?

'Zo, het water is ook weer aangesloten,' riep pap vanuit de kelder.

Toen wist ze het weer: na elke vakantie werd de waterleiding afgesloten, zodat er geen lekkages konden optreden. Pap en mam lieten dan alle leidingen en de spoelbak van de wc leeglopen. Doordat pap zojuist de hoofdkraan weer open had gedraaid, vulden alle leidingen zich en liep de spoelbak met een hels kabaal vol; de nietsvermoedende Emma de stuipen op het lijf jagend.

Ze schaamde zich rot, maar tot haar grote opluchting zag ze dat niemand iets gemerkt had. Dat bespaarde haar de spot van Thomas.

Pap en Steven sjouwden de tassen uit de auto. De gang en de keukentafel lagen al vol. Mam deed haar best orde in die troep te scheppen.

Emma sloop als een schim achter pap langs de duisternis in. Haar hulp kon best gemist worden. Ze zou toch maar in de weg lopen.

Liever ging ze eerst even genieten van de frisse lucht, die typische geuren die je alleen 's nachts in Beaumont kon opsnuiven. Een mengeling van pas gemaaid gras, dauw en de mufheid van een eeuwenoud dorpje.

Het hoge gras langs het huis kriebelde aan haar benen, maar het deerde haar niet. Zelfs de sliert spinnenweb onder het afdak van het schuurtje kon haar niets schelen. Emma gloeide van opwinding. De vakantie was begonnen! De beste zomer ooit wachtte op haar. Anouk en Noortje vroegen zich wel eens af wat er zo leuk was aan een oude boerderij in een gehucht met een kasteel en twintig huizen, die niet eens allemaal bewoond waren. Wisten zij veel. Dit was de hemel op aarde! Hun eigen boerderij, een enorme lap grond eromheen, vijf grote en kleine schuren, een waterput en zelfs een bouwvallig houten wc'tje achter in de tuin. Dat was al heel lang niet meer gebruikt, behalve dan voor verstopspelletjes.

Ze miste haar vriendinnen wel een beetje, maar ook zonder hen viel hier zoveel te beleven. De hele dag spelen in de tuin en op de hooizolder. En als het 's avonds wat frisser werd, binnen een spelletje doen, lezen of gewoon lekker naar muziek luisteren. Of nog beter: naar de verhalen die pap bij het kampvuur vertelde. Emma kon zich niets geweldigers voorstellen dan vier weken leven als God in Frankrijk.

In de verte hoorde ze het ruisen van de rivier. En daaroverheen probeerden twee nachtegalen elkaar te lokken. Verder leek Beaumont uitgestorven.

Of toch niet? Wat bewoog daar bij het kasteel? Iemand probeerde zich aan het hek op te trekken. Een inbreker? Hier in Beaumont? Nog geen vijftig meter bij haar vandaan!

Daar wilde ze niets mee te maken hebben. Ze dook op haar hurken achter een dikke boom. Verroer je niet, zei ze tegen zichzelf. Wacht tot het weer veilig is.

Een zachte plof, gevolgd door snelle voetstappen. Haar kant uit. Ze graaide wat kiezels van de grond. Voor het geval de inbreker haar ontdekte. Met één oog loerde ze langs de boom. Niet uit nieuwsgierigheid, maar om de situatie beter in te kunnen schatten.

'Hé zusje,' zei Thomas, 'ben je me aan het bespioneren?'

'Iemand moet jou in de gaten houden,' antwoordde Emma opgelucht. Ze probeerde het zo opgewekt mogelijk te zeggen. Als Thomas in de gaten kreeg dat haar benen nog natrilden van de schrik, zou hij haar daar nog lang aan herinneren.

Maar het leek Thomas wel die schrok. 'Hebben ze je achter me aan gestuurd?' Hij tuurde de straat af. 'Ze moeten me met rust laten,' foeterde hij. 'Ik ben geen klein kind meer.'

'Rustig nou maar,' suste Emma. 'Ik maakte een grapje.'

'Haha.' Thomas vond het duidelijk niet leuk. 'En toch moeten ze oppassen!'

Emma haalde haar schouders op. Ze begreep niet waar hij zich druk om maakte. 'Relax een beetje, joh! We hebben vakantie.'

'Ha, vakantie,' schamperde Thomas. 'Ik heb het hier wel gezien. Weet je wel dat ik morgen met Goof in de zee had kunnen liggen? En nou zitten we hier in dit...' Hij kon de juiste woorden niet vinden.

Emma geloofde haar oren niet. Meende haar broer nou werkelijk dat een weekje camping in Zeeland met Goof en zijn ouders leuker was dan vier weken spelen, zwemmen en struinen in de Limousin? Uitgerekend Thomas, die altijd het hardste riep dat hij alleen maar in Frankrijk zichzelf kon zijn! Thuis voelde hij zich ingeblikt in hun rijtjeshuis, maar hier hoefde hij nergens rekening mee te houden. Hier kon hij in bomen klimmen, hutten bouwen en eindeloos achter een bal aan rennen.

Maar de laatste tijd deed hij steeds vreemder. Alles vond hij stom en als je hem iets vroeg, was het altijd 'nee'. Ze kende haar eigen broer niet meer. Noortje vertelde dat haar broer Bob ook de weg kwijtraakte toen hij naar de middelbare school ging. 'Dan lijkt het niet meer stoer om leuke dingen leuk te vinden,' zei ze. 'Ik denk dat ik de puberteit oversla. Laat die jongens maar klef doen met andere meiden.'

Zo dacht Emma er ook over. 'Doe eens normaal,' zei ze. 'Je hebt je hier nog nooit verveeld.'

'Jij lijkt pap wel,' viel Thomas uit. 'Die zegt ook van die domme dingen. "Voorlopig ga je gewoon met ons mee naar Frankrijk. Je bent nog veel te jong om zelf te bepalen wat je doet." En dus moet ik zijn zin maar doen? Dit lijkt wel kindermishandeling, een ontvoering!' Thomas spoog vuur, zo boos was hij nog steeds op zijn ouders.

Emma haatte ruzie. 'Als je maar niet denkt dat ik mijn vakantie door jouw kinderachtige gedoe laat verpesten,' zei ze.

Om haar woorden kracht bij te zetten, vervolgde ze haar ontdekkingstocht door Beaumont. Niet dat er veel nieuws te ontdekken viel. Behalve die ene schuur die steeds verder aftakelde, veranderde er al jarenlang helemaal niets. Het was een klein gehucht op het platteland van Frankrijk. Een kasteeltje, wat boerderijen, huizen en schuren. Je was er zo doorheen. En dan keek je uit over de velden en bossen in een glooiend landschap. De tijd verstreek er langzamer dan thuis. Als niet hier en daar een auto of tractor geparkeerd stond, en aan de hoogste toren van het kasteel geen satellietschotel hing, zou je denken dat je in de middeleeuwen terechtgekomen was.

Op het dak van het kasteel kraste een uil. Verder was het stil. Doodstil. Of toch niet? Het leek wel of ze ergens aan het schieten waren.

'Hoor je dat?' vroeg Thomas.

Ze knikte.

'Kom,' zei Thomas, 'we gaan kijken wat het is.'

Emma aarzelde, maar volgde haar broer toch. Voorzichtig

slopen ze het weggetje naar hun huis in. Er brandde licht achter het raam van de buren. Stond de tv nog aan? Verwilderde rozenstruiken voor het raam belemmerden het zicht. Emma en Thomas moesten bukken om naar binnen te kunnen gluren. Daar zat de buurjongen achter zijn pc. Het knallen van een mitrailleur ratelde uit de boxen.

Veel wisten ze niet van hun buurjongen af, ook al was hij ongeveer net zo oud als Thomas. Ze hadden nauwelijks contact met deze buren. Af en toe zagen ze de jongen op straat, met zijn supersonische fiets zwabberend over het asfalt. Of met een kat op zijn arm, schichtig door de struiken loerend. Elke vakantie hooguit een of twee keer. Zou hij mensenschuw zijn? Of niet tegen de buitenlucht kunnen?

Misschien verklaarde deze ontdekking wel alles. Het moest minstens drie uur in de ochtend zijn. Als dat joch de hele nacht achter zijn computer zat, lag hij overdag natuurlijk in zijn bed.

Toch kon Emma zich er niets bij voorstellen. Als je in zo'n prachtige omgeving woonde, met al die spannende bossen, weilanden, meertjes en riviertjes om je heen, dan was je toch het liefst de hele dag buiten?

De jongen draaide zich met een ruk om. Alsof hij voelde dat hij bekeken werd.

Thomas en Emma doken weg. Bang om betrapt te worden.

'Dat moest ik eens proberen,' zei Thomas grinnikend. 'Midden in de nacht Call of Duty spelen. Mark zou helemaal gek worden!'

Emma kon er maar niet aan wennen dat haar broer pap en mam sinds kort bij hun voornaam noemde. 'Kom,' fluisterde ze, 'ik denk dat de auto nu wel uitgeladen is. Als we te lang wegblijven, krijgen we op onze kop.'

Binnen was de rust weergekeerd. Mam hield niet van troep, dus stonden de tassen al op de slaapkamers en de pindakaas en hagelslag in de voorraadkast.

In de kamer was het lekker knus met brandende kaarsjes en muziek uit de radio. Een onverstaanbaar Frans liedje. Verse thee geurde boven het theelichtje.

'Ha, daar zijn de deserteurs,' zei pap. 'Uitgewandeld? Je bent mooi op tijd, want de vakantie begint...' hij keek op zijn horloge, '... nu!'

'Haha, ik moet bijna lachen,' zei Thomas nukkig. 'Is er nog cola?'

'Je weet waar hij staat,' antwoordde pap. 'Doe maar net of je thuis bent.'

Hun bitse woordenwisseling zoog de gezelligheid weg.

Emma hoopte dat ze snel die stomme onenigheid lieten varen, maar ze wist dat dat nog wel even kon duren met die twee stijfkoppen. Ze probeerde het van zich af te schudden. Ze ging voor de grote spiegel in de kamer staan om te zien hoe ze de reis overleefd had. Haar vorige week kortgeknipte haren piekten alle kanten op. Het leek wel of ze Thomas' weerborstels had overgenomen. 'Mam,' vroeg ze, 'waar heb je mijn borstel gelaten?'

'In je tas. Die staat al boven. Haal je hem zelf?'

Ze wilde niets liever dan even uit de vuurlinie ontsnappen. Dus vloog ze de trap op, met twee treden tegelijk. De duisternis van de bovenverdieping tegemoet. De schakelaar zat helemaal achteraan in de gang. Maar ze kende het huis inmiddels op haar duimpje. Bovendien viel het best mee met de duisternis, want vanuit haar slaapkamer scheen een zacht blauw schijnsel op de overloop. Het kon niet van buiten komen, want de raamluiken zaten nog dicht.

Zou mam een of ander apparaat aangezet hebben? Wel handig, dat licht. Ze liep nu recht op de schakelaar af, een ouderwets ijzeren pinnetje op een ronde schakeldoos. Toen ze hem om klikte, verdreef het felle licht van de ganglamp de blauwe gloed. Maar in haar kamer was alles donker. Ze snapte er niks van. Waar kwam dat blauwe licht vandaan? Ze deed de ganglamp weer uit om het beter te kunnen zien.

Het werd nu pikdonker. Zo donker als het alleen daar in huis kon zijn. In Nederland scheen altijd licht in haar kamer; de tuinverlichting van de buren, de straatlantaarns en de rode cijfers op haar wekkerradio. Maar in het Franse huis zag je normaal geen hand voor ogen als de lampen uitgingen. Ook geen blauw licht dus.

Ze kreeg er kippenvel van. Vlug knipte ze de lamp weer aan. En daarna het licht op haar slaapkamer. Er was niets wat die blauwe gloed kon verklaren. De kamer lag erbij zoals ze hem twee maanden eerder had achtergelaten. Het bed, de stoelen, de kast met het speelgoed, de spelletjes en boeken, de posters aan de muur. Alleen haar tas op het bed was er net neergezet.

Haar hart klopte in haar keel. Waar kwam dat schijnsel vandaan? Ze boog voorover om te kijken of er iets onder het bed lag. Het enige wat ze vond, was de blauwe sok die ze al een hele tijd kwijt was. Maar een sok gaf geen licht.

Het was een raadsel, maar eentje waar ze niet te lang bij stil wilde staan. Ze liet de vakantie waar ze zich al zo lang op verheugd had toch niet door zoiets vaags verpesten?

Vlug ritste ze de tas open. Ze graaide er net zolang kleren uit totdat de borstel tevoorschijn kwam. Met het ding stevig in haar hand geklemd haastte ze zich naar beneden. Voor de zekerheid liet ze de lampen aan. Het kon haar niets schelen als pap erover zou mopperen. Ze wilde bij het naar bed gaan niet voor enge verrassingen komen te staan.

Terwijl Emma haar haren in orde bracht, kwam mam overeind uit haar luie stoel.

'Ik haal boven even mijn boek,' zei ze.

Ademloos volgde Emma het geklak van haar moeders halfhoge hakken op de houten trap en de bovenverdieping. Een vertrouwd geluid. Niets wees op iets verdachts.

'Gaan we morgen iets leuks doen?' vroeg Steven.

'Uitslapen,' antwoordde pap. 'En daarna naar de winkel om de voorraden aan te vullen.'

'Niet zwemmen?'

'Dat zien we nog wel.'

'Ik stem voor zwemmen,' zei Emma enthousiast. Bij dat vooruitzicht verdween het blauwe schijnsel compleet uit beeld.

Ze dacht er zelfs niet meer aan toen pap hen even later naar bed joeg en het licht op de slaapkamer uit bleek te zijn. Ze veegde haar kleren van het bed, plofte neer en viel als een blok in slaap.

2

De volgende ochtend stond Steven al vroeg naast Emma's bed. 'Hé, slaapkop,' zei hij, 'het is allang licht. Zullen we een spelletje doen?'

De zon priemde door de kieren van de luiken. In de verte loeide een koe. Zwaluwen gierden rond het huis. Geen geraas van druk verkeer of ruziemakende buren, zoals thuis in Nederland. Emma vond het zonde om haar tijd te verslapen. Ze schopte het laken weg, rekte zich uit en klom uit bed. Ze trok alvast haar bikini aan. Handig als ze 's middags naar het meer zouden gaan. Daar overheen deed ze haar nieuwe zomerjurk. Die rook nog naar de winkel waar ze hem gekocht had.

Inmiddels maakte Steven een kamer verderop zijn grote broer wakker. Emma hoorde Thomas brommen dat hij met rust gelaten wilde worden, maar Steven gaf niet op. Hij zeurde net zo lang aan Thomas' kop tot hij zijn doel bereikte.

Ze stapte als eerste de keuken binnen. Het was er nog schemerdonker. Ze gooide de ramen open om de luiken weg te klappen. Een zee van licht stroomde naar binnen. De zomerhitte viel als een warme deken over haar heen. Aan de lucht was geen wolkje te zien, enkel een stralende zon die net over de heuvels klom.

Op straat liep de oude oma Lascoux. Ze leek nóg krommer dan vorige keer. Zonder de stok waar ze op leunde, zou ze vast en zeker voorover vallen. Ze droeg dezelfde zwarte jurk en zwarte kousen als anders. Thomas grapte de vorige keer: 'Oma Lascoux is altijd klaar om haar graf in gedragen te worden.'

Emma vond haar een beetje eng. Het vrouwtje deed haar denken aan de heksen uit de verhalen die pap zo graag vertelde, met haar donkere kleren, haar kromme rug en haar krassende stem. Het liefst bleef ze een eind bij haar uit de buurt. Stom natuurlijk, want die oude, lieve buurvrouw zou geen vlieg kwaad doen.

Natuurlijk had oma Lascoux in de gaten dat Emma het luik opende. Ze zwaaide en riep: 'Bonjour mignonne, vous êtes arrivés cette nuit?'

Het klonk vriendelijk, ondanks de kraakstem, maar Emma verstond er geen klap van. Ze verwonderde zich er vaak over dat mensen elkaar in die brabbeltaal verstonden. Maar ze kon de buurvrouw niet negeren, dus wuifde ze terug. Ze antwoordde zelfs in haar beste Frans 'Bonjour madame.'

Terwijl ze genoot van de zon op haar gezicht, legden Steven en Thomas op tafel Het Stenen Tijdperk neer, Stevens nieuwste spel. Sinds zijn verjaardag vorige week hadden ze het al zes keer gespeeld. Gelukkig waren ze alle drie dol op bord- en kaartspellen, want pap en mam wilden geen beeldschermen in Frankrijk, geen tv, geen laptop, geen tablet. Dat noemden ze 'gezond' voor hun kinderen.

Vooral Steven kon er maar moeilijk aan wennen. Thuis dook hij ieder verloren uur in zijn games. En nu moest hij vier weken afkicken. Onbegrijpelijk, vond hij. Vakanties waren toch bedoeld om te doen waar je zin in had? Thuis had hij voor de zekerheid stiekem Angry Birds en Candy Crush op paps mobiel gezet. Als hij zich ging vervelen, zou hij zich daarmee op zijn slaapkamer terug kunnen trekken. Eenmaal in Frankrijk had hij trouwens nooit last van het schermverbod. Het huis lag vol spelletjes en speelgoed en het dorp – hoe klein het ook was – vormde één groot pretpark voor hem.

'Hé dromer, kom je nog?' vroeg Thomas ongeduldig.

Emma sloot het raam en ging aan tafel zitten. 'Ik ben geel.'

'En ik mag beginnen,' zei Steven. 'Ik ben de jongste.'

'Niks hoor,' zei Thomas. 'We doen wie het hoogste gooit.' Hij hield op een heel eigen manier van spelletjes. Hij maakte van alles een wedstrijd. Voor hem telde maar één ding: winnen – altijd en overal. Zelfs als het ging om wie mocht beginnen.

Emma snapte niet waarom hij zo fanatiek was. Zij hield meer van een beetje gein trappen. 'Dat ben ik,' lachte ze en ze keilde de dobbelsteen tegen het plafond. 'Zo, proberen jullie maar eens hoger te gooien!'

Steven vond het wel grappig, maar Thomas trok een scheef gezicht.

'Not funny,' zei hij.

Een paar uur later verscheen mam slaperig in de keuken. Ze zag eruit alsof zij en pap die nacht nog een feestje gebouwd hadden. Dat zou niet de eerste keer zijn. In de meivakantie hoorde Emma vreemde geluiden in de nacht. Ongerust wilde ze pap en mam wakker maken, maar hun bed was leeg. Toen ze vervolgens beneden poolshoogte nam, zaten die twee nog doodleuk met een muziekje, een glaasje wijn, een grote schaal pinda's en een boek in de woonkamer. Om half drie in de ochtend!

Steven en Thomas zaten te diep in hun vierde potje Stenen Tijdperk, maar Emma zei netjes goeiemorgen.

Mam mompelde iets vaags terug. Ze zette de fluitketel op

het fornuis om water voor de koffie te koken. Daarna trok ze alle kasten open om in gedachten een boodschappenlijstje voor straks te maken. 'Spelen jullie hiernaast verder?' vroeg ze. 'Ik wil de tafel dekken.'

Morrend verhuisden ze naar de woonkamer. Het speelbord stond zo vol dat alles door elkaar schoof.

'Jammer,' zei Thomas met een brede grijns. Het kwam hem wel goed uit dat ze opnieuw moesten beginnen, want hij stond op verlies.

In de hal kwamen ze pap tegen. Met ongeschoren kin en slaperige ogen.

'Ha die Mark, wat zie jij er verkreukeld uit,' zei Thomas. 'Heb je onder de trein gelegen?'

'Gut, dat is nog eens gezellig wakker worden, al die complimenten.' Paps stem klonk schor. 'Geef mij maar een bak koffie, dan ben ik zo weer fit.'

'Dan zul je naar het café moeten,' riep mam vanuit de keuken. 'We hebben geen koffie meer in huis. Ik ga thee zetten.'

'O nee hè,' zuchtte pap. 'Ik begin mijn dag niet zonder koffie. Wacht maar, dan rij ik even naar de kruidenier in het dorp. Moet ik nog meer meenemen?'

'Vers stokbrood,' zei Thomas. 'Dáár heb ik zin in. Laat Eva haar gezonde Hollandse brood maar alleen opeten!'

Voor één keer was pap het met hem eens. Ook hij vond het zonde om het oude brood van thuis op te eten, terwijl de bakker die ochtend knapperig vers stokbrood had gebakken. 'Komt in orde,' zei hij met een knipoog. Hij graaide de autosleutel uit de la en liep op zijn sloffen naar buiten.

Het was een heerlijke eerste vakantiedag. De zon straalde hoog boven de velden en de bossen. Een zacht briesje verjoeg de ergste hitte. Uit de schuur van de buren klonk het klagelijke geloei van een koe. Verborgen in het gras sjirpten de krekels. Echt zo'n dag waarop niets hoeft en alles mag.

Mam had haar luie stoel in de schaduw van de kastanjeboom neergezet. Daar lag ze nu met een dik boek te lezen. Die was voorlopig verdwaald in een wereld van chique dames en galante heren. De rest van de familie wist dat ze het niet moesten wagen haar te storen.

Emma hielp pap met het sjouwen van de buitentafel en de stoelen. Ze zetten ze naast mam onder de grote kastanje. Dat was de plek waar ze de komende weken zouden eten, spelletjes doen en lezen.

Pap gaf haar een knuffel. 'Bedankt voor de hulp.'

'Graag gedaan.'

Binnen de familie De Leeuw heerste een ongeschreven afspraak: 'papa plagen'. Niet gemeen bedoeld, maar wel lollig. Zelfs mam vond het leuk hem de hele dag door plaagstootjes uit te delen, omdat hij daar zo grappig-knorrig op reageerde. Ook Emma deed eraan mee, maar soms schaamde ze zich wel. Pap was eigenlijk een heel lieve vader. Als je op de juiste knopjes wist te drukken, kreeg je alles van hem gedaan.

'Wat zit daarin?' Ze wees naar de koffer op de tafel.

'Mijn schatten,' zei pap. Met een plechtig gebaar klapte hij de koffer open.

Ze had het kunnen weten. Het ding was tot de rand gevuld met oude spullen: kartonnen dozen, versleten kledingstukken, roestig keukengerei, en verzamelmappen vol brieven, foto's en andere papieren die pap verspreid in het huis had gevonden. En boeken over Beaumont en de Limousin. Hij puzzelde de hele historie van het dorp bij elkaar. Typisch pap. Zelfs als hij niet voor de klas stond, maar vakantie vierde, liet zijn passie voor geschiedenis hem niet los. Emma wist dat ze ook deze zomer weer alle musea, kastelen en rommelmarkten zouden afstruinen, op zoek naar nieuwe schatten. Met Steven als paps schaduw. Die was al net zo gek op geschiedenis.

Tot groot misnoegen van Thomas. Hij was allergisch voor paps hobby. Van hem mochten ze al die ouwe troep in de fik steken, inclusief de kerken, kastelen en vooral musea. Die vond hij zooo saaaaai. Hij gaf de voorkeur aan een grasveld en een voetbal. Lekker rennen en zweten.

Pap toverde een oud boek tevoorschijn. 'Hierin vond ik gisteren een legende over Beaumont,' zei hij. 'Over de nachtegaal van de huilende rots. Wil je het horen?'

Eigenlijk had Emma andere plannen. Vanuit de grote schuur hoorde ze Thomas en Steven al op de hooizolder spelen. Maar zij moesten nog even wachten, want pap had een neus voor boeiende verhalen! Daar zette ze haar andere plannen graag even voor aan de kant.

'Kom maar op met je nachtegaal,' zei ze.

'In de zestiende eeuw leefde in het kasteel een ridder met zijn dochter.'

'Hoe oud was ze?'

'Dat weet ik niet,' zei pap. 'Misschien wel net zo oud als jij. Ze heette Céline. Haar moeder stierf onverwacht aan een mysterieuze ziekte, en daar was haar vader helemaal kapot van. Hij dwaalde de hele dag in diepe droefenis door zijn kasteel. Hij had totaal geen oog meer voor zijn arme dochter. Gelukkig zat Céline niet bij de pakken neer. Ze hield ontzettend veel van de natuur. Elke dag liep ze door de bossen en de velden. Ze plukte kleurrijke boeketten bloemen en zong het ene na het andere lied. Met een stem die net zo mooi was als die van de nachtegaal. Het liefst ging ze naar de rots boven de rivier. Je weet wel, waar wij ook vaak naartoe gaan om keien in het water te gooien.'

'Dus dat verhaal gaat écht over ons dorp?' onderbrak ze hem.

'Dat zei ik toch!' zei pap met een glimlach. 'Urenlang kon Céline daar kijken naar de ijsvogeltjes die laag over het water scheerden en luisteren naar het klateren van de waterval. Ze kwam er vroeger vaak met haar moeder. Telkens als ze er terugkeerde, droomde ze over die gelukkige momenten samen.

Op een mooie zomerdag zat ze er weer te dagdromen. Ze merkte het opkomende onweer niet op. Pas toen de eerste bliksemflits vlakbij insloeg en de regen plotseling losbarstte, werd ze uit haar mijmeringen gewekt. Ze sprong op om naar huis te rennen, maar de rots was door de stortbui in een paar tellen spekglad geworden. Ze gleed uit en viel in het kolkende water.

Onverbiddelijk sleurde de stroom haar voort. De molenaar van de watermolen hoorde haar gegil. Hij zag door zijn raam hoe Céline kopje-onder ging. Zonder erbij na te denken stormde hij naar buiten en dook haar achterna. Honderd meter verderop kreeg hij het meisje eindelijk te pakken. Toen hij haar op de oever wist te trekken, leefde ze nog. Maar onderweg naar het kasteel stierf ze in zijn armen. Die arme ridder van Beaumont. Zijn hart brak in duizend stukken.'

Pap zweeg.

Wat een verschrikkelijk verhaal, dacht Emma. Veel te triest voor zo'n mooie zomerdag. Daar had ze geen zin in, hoe boeiend pap ook kon vertellen. Ze stond op om leukere dingen te gaan doen, maar pap was nog niet klaar.

'Het schijnt dat het sindsdien spookt langs de rivier,' vervolgde hij. 'Bij de rots langs de waterval. Elk jaar in juli klatert het lied van een nachtegaal over het bruisende water heen. Alleen klinkt het niet zo vrolijk en hoopvol als het gezang van de andere nachtegalen.'

Pap haalde een sigaar uit zijn borstzak.

'En weet je wat nou zo bijzonder is?' vroeg hij met een raadselachtige blik.

Natuurlijk wist ze dat niet. Pap kwam altijd met de wonderlijkste weetjes aanzetten.

'Op het kasteel van Beaumont woont tegenwoordig ook weer een weduwnaar met één dochter...'

Emma voelde de haartjes op haar arm overeind springen. Pap hoefde zijn zin niet af te maken. Die dochter heette ook Céline. Af en toe kwamen ze haar tegen, als ze bij haar vriend achter op de motor door het dorp scheurde of als ze eieren bij de buren kocht. Ze moest een jaar of zeventien zijn. Veel te oud en veel te Frans voor haar en haar broers om contact mee te zoeken. Wie wilde er trouwens contact met de familie Argentin? De kasteelheer was een verschrikkelijke vent, die met het hele dorp ruziemaakte. Dat was altijd zo geweest en het zou altijd zo blijven, vertelde meneer Lascoux. En van die Nederlandse familie in Beaumont wilde monsieur Argentin helemaal niks weten. Hij scheen buitenlanders te haten! Céline was tenminste nog aardig. Als je haar tegenkwam, zei ze vriendelijk 'bonjour'.

Pap stak zijn sigaar aan en zoog de rook diep zijn longen in. Dat was het signaal dat hij uitverteld was.

Emma schudde het verhaal van zich af. De overeenkomst tussen de twee Célines was opmerkelijk, maar wat had zij nou met de geschiedenis van Beaumont te maken? Voor haar was dit niets meer dan de plek waar ze genoot van haar vakanties. En dat was precies wat ze nu ging doen!

Ze holde naar de schuur om te zien wat de jongens uitvraten op de hooizolder. De schuur was een typische Franse koeienstal, bijna net zo groot als de gymzaal op school. Links en rechts lagen de stallen voor de koeien en daartussenin liep een breed pad met de betonnen voederbakken. Die kon de boer vanuit het middenpad vullen.

Steven en Thomas hadden de poorten opengeklapt, een giga-grote dubbele houten deur, zo hoog dat een piramide van drie acrobaten er nog zonder bukken onderdoor zou kunnen wandelen. De hele zomer zouden de poorten wagenwijd openstaan, zodat de kinderen overal genoeg licht hadden.

De schuur was meer dan tien meter hoog, maar de stalruimtes kwamen amper boven de twee meter uit. Op de planken daarboven lag het hooi voor de koeien. Maar die hadden de stal al een eeuwigheid geleden verlaten. De vorige bewoners waren veertig jaar terug vertrokken, samen met hun koeien, varkens en kippen. Maar zonder hooi. Al die tijd was het op de zolders boven de stallen blijven liggen. Stoffig, kriebelig hooi, te oud om nog aan beesten te kunnen voeren. En helemaal niet goed voor Emma's astma. Binnen een half uur zou ze er rode ogen en niesbuien van krijgen, maar dat nam ze op de koop toe. Er was immers geen fijnere plek om te spelen.

Zelfs met de grote deuren aan de voor- en achterkant van de schuur open, bleef het op de hooizolders spannend schemerig. Elke vakantie bouwden Thomas, Emma en Steven nieuwe hutten en forten van het hooi.

Thomas was bij het zien van hun paradijs acuut Goofs camping en strand in Zeeland vergeten. Samen met Steven was hij verwoed gestart met de bouw van een nieuw fort. Met oude tafels en stoelen, doeken en dikke planken maakten ze kamertjes. Daar legden ze dan weer hooi overheen, zodat je van buitenaf niet kon ontdekken waar ze verstopt zaten. In sommige holletjes was het zo donker dat je geen hand voor ogen kon zien.

Emma klom de ladder op. Ze hoefde niks te zeggen of te vragen. Ze wisten zo langzaamaan allemaal wel hoe je een perfecte hut bouwt. Ze pakte meteen mee aan. Handenvol hooi en gruis vlogen in het rond. Verdwaalde keien verdwenen op de stapel in de hoek. Emma vond niets zo vervelend als met haar billen op zo'n scherpe steen gaan zitten. Vorige jaren gooiden ze de keien altijd naar beneden, maar dat was snel afgelopen toen mam er bijna een op haar hoofd kreeg. Sindsdien was de donkerste hoek van de hooizolder de verzamelplek.

In een mum van tijd was het nieuwe fort ingericht. De kinderen ploften neer in de grote zaal en bewonderden tevreden hun nest.

Thomas had er als eerste genoeg van. Hij kon nooit lang stilzitten. 'Voetballen?' Omdat zijn maatjes er nooit bij waren in Frankrijk, waren Steven en Emma vaak de klos. Zij hadden geen hekel aan sport, maar met Thomas erbij was er geen bal aan. Hij was veel te goed en pingelde ze de hele tijd voorbij.

Dit keer hadden ze er helemaal geen zin in. Het bouwwerk was net klaar. Nu wilden ze er ook van genieten.

Steven haalde een pak koekjes en een fles drinken uit de voorraadkamer van het fort. Die hadden ze stiekem uit de keuken meegenomen. Hij zette zijn tanden zo gulzig in een koek dat er een grote brok vanaf viel.

'Die vind je nooit meer terug,' zei Emma.

'Pas maar op,' zei Thomas met een brede grijns. 'Weet je nog wat mam zei over de muizen en ratten die hier rondlopen? Als ze jouw koek vinden, bouwen ze misschien wel hun nest in ons hol.'

'Leuk!' juichte Emma. 'Dan hebben we échte huisdieren.' Ze droomde al jaren over een eigen hond of hamster. Tegen beter weten in, want mam werkte niet mee aan die droom. Die kwam altijd met rotsmoesjes over vlooien, stank, handenbinders en natuurlijk weer Emma's astma. Meer dan een rat op de hooizolder zat er echt niet in.

Steven gruwde bij het idee van die indringers. 'Een rat is geen kat.'

Zijn opmerking bracht Emma op andere gedachten. Katten! In de meivakantie hadden de buren een jong katje. Dat liet zich soms door haar lokken. Zou het er nog zijn? 'Kom op,' zei ze, 'we gaan kijken of het katje van de buren in onze tuin wil komen.'

Dat leek Steven en Thomas ook een goed plan. Ze roetsjten de ladder af, de tuin in.

Emma probeerde het katje te lokken met een verleidelijk 'Poespoespoes,' maar Thomas lachte haar uit.

'Denk je dat ze dat snapt?' vroeg hij. 'Het is een Franse kat, hoor.'

Ze kon hem wel schieten. Wat was haar broer soms toch een etterbak. Bijna net zo vervelend als Noortjes grote broer Bob. Volgens Noortje kon je die pubers het beste gewoon negeren. Dan had je er het minste last van. Dus bleef ze op haar eigen manier proberen de aandacht van de poes te trekken.

'Misschien is het beest al dood,' zei Thomas. 'Dat kan hier best, met al die roofvogels en vossen in de buurt.'

Weer zo'n nare opmerking. Maar misschien had hij wel gelijk.

Uiteindelijk kwam er toch iemand op Emma's lokroep af: Rambo, de hond van meneer Argentin uit het kasteel. Rambo zag er net zo gemeen uit als zijn baas, maar hij was erg lief. En dom! Of je nou aardig, boos of koel tegen hem deed, hij meende altijd dat je met hem wilde spelen. Liefst met lange stokken. Die sleepte hij met zich mee en legde ze aan je voeten. Je moest wel uitkijken, want soms zwiepte hij zo'n stok per ongeluk in je gezicht.

Emma riep hem en hij kwispelde om haar heen. Toen ze hem probeerde te aaien, lebberde hij aan haar hand, een sliert kwijl achterlatend.

Ze trok een vies gezicht en veegde de hand schoon aan haar jurk. Die zag er na de verbouwing op de hooizolder toch al smoezelig uit.

'Getsie,' zei Thomas. 'Vies beest.' Het was niet duidelijk of hij nou Emma of de hond bedoelde.

Rambo reageerde er als enige op. Hij draaide zich om en sprong op Thomas af. Die raapte vlug een stok op en gooide hem weg. Met gestrekte staart rende Rambo erachteraan en bracht hem terug.

Emma en Steven ploften in het koele gras, op een veilige afstand van Thomas en Rambo. Die twee wildebrassen zouden wel even bezig zijn voordat ze moe waren.

Thomas maakte de hond helemaal gek. Met grote halen zwaaide hij de stok boven Rambo's kop heen en weer, totdat de hond achterover viel.

'Bah, niet zo vals doen,' mopperde Steven.

Thomas trok zich er niets van aan. Rambo had niet het gevoel dat hij gepest werd, want hij kwispelde nog steeds. Thomas mikte de stok over de muur tegenover het huis. Toen Rambo er even later trots mee in zijn bek terugkwam, stond Thomas alweer klaar met twee nieuwe stokken, die verschillende kanten op vlogen. Rambo vond het geweldig. Hij blafte steeds enthousiaster, terwijl hij achter de stokken aan stoof en over muren sprong.

De boze stem van meneer Argentin maakte een abrupt einde aan het spel. 'Rambo, viens!' schalde het door het dorp.

De hond spitste zijn oren. Opeens veranderde er iets in hem. Zijn staart verdween tussen zijn achterpoten en zijn kop ging omlaag. Smekend keek Rambo Thomas nog één keer aan, maar vervolgens slofte hij naar het kasteel.

3

'Kom op, Eva, zo is het wel mooi.'

Paps stem galmde door het trappenhuis. Hij ijsbeerde van het huis naar de tuin en weer terug. Het was hem al gelukt de kinderen te verzamelen. Emma doezelde languit op de luie stoel. Op de rand van de put zat een hagedis, net zo loom genietend van de laagstaande zon als Emma. De jongens bladerden door oude Donald Ducks, wachtend tot mam klaar was.

Zoals gewoonlijk duurde dat een eeuwigheid. De broek en het T-shirt die ze vanochtend had aangetrokken, waren goed genoeg geweest om boodschappen te doen en in de tuin te luieren, maar niet voor een bezoek aan de buren. Daarvoor wilde ze er op haar best uitzien. En daar hoorde natuurlijk ook wat rouge en lippenstift bij.

Tot ergernis van pap begon ze pas aan haar verkleedpartij op het moment dat de rest van de familie klaar voor vertrek was.

Mam verscheen in een vrolijk zomerjurkje. 'Is dit niet te pikant?' vroeg ze.

'Nee hoor,' antwoordde pap vlug. 'Je bent goedgekeurd. Vooruit jongens, voordat de buurvrouw al staat te koken.' Hij pakte het plantje van de tuintafel.

'Thomas, Steven,' riep mam. 'Wat zien jullie eruit! Doe een schoon shirt aan.'

'Ah nee, Eva,' kreunde pap, 'dat meen je niet.'

'Hoezo?' vroeg mam verontwaardigd. 'Zo kunnen ze niet mee op visite. Dat zie je zelf toch ook?'

Steven ging gehoorzaam naar binnen, maar Thomas wachtte de uitkomst van de strijd af. Hij keek van de een naar de ander.

'Weet je hoelang we hier al op je zitten te wachten?' zei pap. Zijn stem klonk vreemd hoog.

'En al die tijd zie jij niet dat je zoons er als varkens bij lopen. Thomas, nu!'

'Mij best,' zei Thomas.

Emma verdacht hem ervan extra traag aan mams bevel gehoor te geven. Ze was zelf zo slim geweest schone kleren aan te trekken. Zij kende de nukken van haar moeder.

Pap zette de plant met een klap terug op tafel en plofte op een stoel.

'Wat nou weer?' Mam trok een onschuldig gezicht, maar wist donders goed dat het humeur van pap tot onder het vriespunt was gedaald. Toch deed ze er nog een schepje bovenop: 'Niet zo kinderachtig, hoor.'

Paps blik verried dat ze dat beter niet had kunnen zeggen.

Emma kromp ineen. Ze haatte de scènes van pap en mam. Die konden een hele dag verpesten.

'Ik loop vast vooruit,' zei ze.

'Wacht, ik ga mee,' zei Steven. Hij zag er keurig uit in zijn schone kleren.

'Goed plan,' zei mam.

Emma zag uit haar ooghoek dat pap mokkend volgde.

Hij verheugde zich altijd het meest op de bezoekjes aan de familie Lascoux. Het was vaste prik dat ze de eerste avond bij de buren op bezoek gingen. De Lascouxs hielden het huis in de gaten, stuurden de post door en – als pap geluk had – maaiden het gras voordat de familie De Leeuw kwam. Als dank daarvoor namen pap en mam elke keer een typisch Nederlands cadeau mee.

Op het erf van de buren voegde Thomas zich bij de rest. Hij droeg zijn nieuwe Supermanshirt. En hij had zelfs de sporen van een drukke dag spelen uit zijn gezicht gewassen.

'Goed zo,' zei mam tevreden. Ze toverde een glimlach op haar gezicht.

Pap zuchtte een keer diep. 'Gedraag je een beetje,' zei hij. Het was niet duidelijk wie hij precies bedoelde. Waarschijnlijk wilde hij de schone schijn van een gelukkig gezin hoog houden. De spanning verdween onder het oppervlak.

'Bonjour,' zei pap.

Door de openstaande voordeur stapten ze direct de keuken binnen.

'O, vous êtes là,' riep madame Lascoux verrast. Ze legde het mes tussen de sla en tomaten en veegde de handen af aan haar schort – hetzelfde ruitjesschort dat ze altijd droeg. Een voor een begroette ze haar gasten met een paar dikke zoenen. De kinderen waren inmiddels gewend aan die Franse gewoonte.

Madame Lascoux leek wel een duizendpoot. Ze zette het vuur onder de pan met zwarte worst en uien uit, schoof voor iedereen stoelen aan, klikte de tv uit, waarschuwde haar man Dédé in de schuur tegenover het huis, toverde de koektrommel, glazen en flessen drank tevoorschijn en bestookte tegelijkertijd pap en mam met de ene vraag na de andere.

'Zie je wel dat we weer te vroeg zijn,' siste mam. 'Als we over een uur gekomen waren, hadden ze hun eten tenminste op gehad.'

'Als we een uur eerder...'

'Bonsoir la famille!' Pap werd onderbroken door de krassende stem van oma Lascoux. Ze was door de drukte gewekt en stommelde slaapdronken de keuken in. Ze moest zich aan de deurklink vastgrijpen om niet te vallen.

Na pap en mam gekust te hebben, zocht ze als eerste Emma op. Om de een of andere reden deed ze dat altijd. Ze probeerde haar over de haren te strelen, maar Emma zette automatisch een stap terug. 'Alstublieft,' zei ze en ze duwde oma een tekening in de hand.

Nu herinnerde pap zich ook hun cadeaus. De plant en Hollandse drop werden in dank aanvaard en meteen met een tegenprestatie beloond. Madame Lascoux dook in haar voorraadkast en haalde er een berg eieren, bonen en sla uit.

Over een paar dagen zou er 's ochtends in alle vroegte weer een nieuwe zak met bonen, tomaten en sla bij hun voordeur staan. Erg lief bedoeld, maar na drie dagen waren de kids de bonen en sla meestal zat! Vooral die taaie andijviesla. Helaas vonden mam en pap het zonde om eten weg te gooien, dus kwam er maar mondjesmaat patat met kip op tafel.

De brede gestalte van monsieur Lascoux in de deuropening onttrok het daglicht aan de keuken. 'Les Hollandais sont là pour les vacances.' Hij trapte zijn klompen uit en krabde zich onder zijn pet.

De keuken leek wel een hok vol kakelende kippen, zo snel kletsten de volwassenen door elkaar. Pap en mam deden hun best alles te volgen, maar Thomas, Emma en Steven snapten er helemaal niets van. Zij dronken de zelfgemaakte aanmaaklimonade en plunderden de koektrommel.

'Pap,' zei Steven opeens. 'In de stal loeit de hele dag een koe. Waarom mag die niet bij de rest in de wei staan?'

'Is dat zo?' vroeg pap. 'Ik zal het eens vragen.' Hakkelend en stotend herhaalde hij in zijn beste Frans Stevens vraag.

Maar voordat hij antwoord kreeg, verloste Thomas Emma van de dood door verveling.

'De koekjes zijn op. Mogen we met Koket spelen?'

Mam knikte, en weg waren ze. Ook Steven. Het erf op.

Thomas stuiterde met zijn bal. 'Koket, waar zit je?'

Een zwart-witgevlekte schapendoes kwam kwispelend de schuur uit. Koket was dol op voetballen. Thomas gooide haar de bal toe en ze kaatste hem met haar snuit terug. Hoe goed Thomas en Steven hun best ook deden, ze kregen amper een voet tegen de bal. Koket was watervlug. Ze vloog met bal en al over het erf. Tien minuten lang, tot ze uitgeput raakte. Koket was vast net zo oud als haar baasjes. Ze liep naar binnen en plofte aan de voeten van monsieur Lascoux neer.

Dat gaf de kinderen de gelegenheid om terug naar huis te sluipen. Daar viel nou eenmaal veel meer te beleven.

Een uurtje later kwamen pap en mam ook weer terug. Hun gekibbel was bijgelegd. Arm in arm liepen ze de tuin in. Als een verliefd stel. Zo te zien hadden ze een glaasje te veel gedronken.

'En?' wilde Steven weten.

Pap en mam snapten niet wat hij bedoelde. 'En wat?'

'Hoe zit dat nou met die koe?'

'O, dat? Ik geloof dat ze moet kalven, maar er is iets niet in orde. Weet jij wat er precies aan de hand is?'

Giechelend haalde mam haar schouders op. 'Nee, de buurman sprak te snel.'

Die koe met haar dikke buik kon Emma niet boeien, want ze zag opeens een zwarte poes onder de heg liggen. Zou dat het jonkie van de vorige keer zijn? Voorzichtig liep ze ernaartoe. De poes stond op en rekte zich uit. Ze schurkte met haar kop langs Emma's been.

'Pas op, zwarte katten zijn betoverde heksen,' zei Thomas.

Ze kon er niet om lachen. De flauwerik moest maar eens goed in de spiegel kijken als hij een griezel wilde zien.

De poes liet zich gewoon oppakken. Ze vond het lekker om gekroeld te worden. Emma stopte haar neus in de vacht, en voelde het gespin door zich heen trillen.

'Wat ben jij een lief katje,' zei ze.

'Hoe liever, hoe griezeliger,' probeerde Thomas nog.

Maar ze liet zich niet gek maken. Ze vond het heerlijk, zo'n beest in haar armen. Bij Anouk liepen wel tien katten op de boerderij. Emma nam er vaak drie of vier tegelijk op schoot. Anouk klaagde wel eens plagend dat Emma meer aandacht voor de dieren had dan voor haar, maar ze wist donders goed dat Noortje en Emma haar beste vriendinnen waren. Op school werden ze de drieling genoemd. Alles deden ze samen: volleybal, zwemmen, logeerpartijen, opdrachten voor school. Alles, behalve de vakanties. Emma zou het geweldig vinden als ze haar vriendinnen een keer Beaumont kon laten zien, maar dat zat er waarschijnlijk niet in. De auto was te klein voor zeven personen. En Anouks ouders konden nooit op vakantie, omdat het werk op de boerderij 365 dagen per jaar doorging.

Noortjes ouders vonden Frankrijk niet interessant genoeg. Hoe avontuurlijker en hoe verder weg hun vakantieland, hoe beter. Dit jaar gingen ze in Peru op zoek naar verdwenen indianenstammen. Noortje had vóór de vakantie een paar dikke spuiten tegen allerlei enge ziektes moeten laten zetten. Noortje liever dan zij! Zij was volmaakt gelukkig in Beaumont. Daar waren geen enge ziektes, geen gevaarlijke beesten, geen hoogtevreesbergen, geen kale hotelkamers, geen primitief eten-wat-de-pot-schaft. Maar – helaas – ook geen Anouk en Noortje. Gelukkig wel een heel lieve poes, die het heerlijk vond om aangehaald te worden.

Die nacht droomde Emma over de poes. Ze zaten samen in een wei vol bloemen, onder de stralende zon. De kat lag tevreden op haar rug en rekte zich uit. Emma kriebelde haar onder de kin. 'Wat ben je toch zacht,' zei ze. 'En je ruikt zo lekker. Ik wil dat je altijd bij me blijft.'

De poes gaf kopjes en likte haar hand. Ze kreeg kippenvel van dat vreemde, raspende gevoel.

Opeens trokken dikke wolken voor de zon. Ongerust keek Emma omhoog. In een paar tellen tijd viel er een onheilspellende duisternis over de wei. Er was onweer op komst. Ze wilde opstaan om snel naar binnen te gaan. Maar de poes liet zich niet van haar af duwen. Het beest klauwde zich met haar nagels in haar shirt vast.

'Je doet me pijn!' zei Emma.

'Je wou zelf dat ik voor altijd bij je bleef,' zei de poes boos.

Emma schrok zich rot. 'Kun je praten?'

'Natuurlijk. Ik ben toch een heks.' Terwijl de kat sprak, veranderde haar snuit in een mensengezicht. Ze groeide en groeide. Haar vacht werd een zijdezachte stof, een jurk met een blauwzwarte glans. De poes was in een heks omgetoverd.

Emma's hart sloeg over.

Op dat moment zette de hemel alle sluizen open. Lauwe regen viel met bakken naar beneden. Daar kon de heks niet tegen. Jammerend smolt ze weg.

Met een schok werd Emma wakker. Klam van het zweet. Het was pikdonker in de kamer. Geen heks te bekennen. Haar hand gleed door het bed, tot ze haar lievelingsknuffel vond. Ze klemde de hond dicht tegen zich aan.

Het lukte niet meer om in slaap te vallen. Ze probeerde aan leuke dingen te denken: spelen met Koket; een logeerpartij bij Anouk op de boerderij; de laatste volleybalwedstrijd van het seizoen, die ze zo knap gewonnen hadden. Maar wat ze ook verzon, de droom verdrong steeds weer haar gedachten.

Pas toen de eerste vogels een nieuwe dag aankondigden, won de vermoeidheid het en viel ze in een diepe slaap.

4

De eerste vakantiedagen vlogen om met lummelen, zwemmen in het meer, rondsnuffelen op rommelmarkten en kermissen en vooral veel spelletjes buiten en op de hooizolder.

Na een paar dagen hield Emma het niet meer uit in dat stofnest. De niesbuien volgden elkaar in steeds rapper tempo op en haar ogen waren roder dan de verschrompelde kersen langs het bospad. Dus verlegde ze met Steven de bouwactiviteiten naar de tuin. Met oude lakens en dekens, wasknijpers, stoelen, planken en een laaghangende tak van de kastanjeboom trokken ze een nieuw, gammel paleis op. Het was heel wat ruimer dan onder het hooi. Ze konden gemakkelijk rechtop zitten en hadden zelfs plaats voor een oude matras als bed en een kist als tafeltje.

'Mooi hè?' zei Steven tevreden.

'Geweldig,' schamperde Thomas. 'Je moet een prijs aanvragen voor het ontwerp.'

'Laat hem maar,' fluisterde Emma. 'Hij is weer in een pestbui.'

'Zeker jaloers,' zei Steven.

'Ha, jaloers!' Thomas gaf zijn bal een peer. Bij gebrek aan een tegenstander mikte hij op het doel dat hij op de muur had gekrijt. Keer op keer beukte de bal tegen de stenen: doenk… doenk… doenk... 'Je denkt toch niet dat ik in dat muffe ding wil? Ik ben niet gek.'

Doenk…

'We willen jou er niet eens bij,' zei Emma. 'Puber!' Haar broer was veranderd. Hij kon van het ene op het andere moment van een gezellige speelkameraad in een nukkige mopperkont veranderen.

'Het lijkt wel een circustent,' zei Steven. 'Kijk maar, met die hoge punt in het midden.'

'Ha, een dwergencircus zeker,' smaalde Thomas.

Doenk… Doenk…

Emma deed of ze die stomme opmerking niet hoorde. 'Je hebt gelijk,' zei ze tegen Steven. Het bracht haar op een idee. 'Wacht even, dan haal ik de knuffels. Een circus zonder dieren is geen circus.'

'Leuk!' riep Steven. 'Ik leg vast het bed buiten om ruimte voor de piste te maken.'

Emma holde naar haar slaapkamer. Boven op de kast lagen de wolven, vos, pinguïn en draak waar ze zulke goede herinneringen aan bewaarde. Ooit waren het haar onafscheidelijke vrienden geweest, maar sinds een paar jaar waren ze allemaal, behalve haar lievelingshond, naar de kast in Beaumont verbannen. Ze bekende in stilte dat ook zij zich te oud voor sommige dingen voelde. Maar dat verried ze niet aan haar vriendjes op de kast.

Ze klom op een stoel en nam ze een voor een liefdevol in haar armen. 'Kom je weer met me spelen?'

In de gang blies ze het stof uit de vacht van de knuffels. Het dwarrelde in een wolkje door de zonnestralen. Maar goed dat mam het niet zag.

'Jullie worden de topartiesten,' beloofde ze. 'Kijk maar, daar is…'

Ze maakte haar zin niet af. Tot haar schrik was de tent ingestort. Aan de bult in de doek zag ze waar Steven zat. 'Wat heb je nou weer gedaan, sukkel?' mopperde ze.

Maar Steven lachte geheimzinnig. 'Dat is niet mijn schuld,' zei hij. 'Ik heb de dader gevangen! Kom maar kijken.'

Boos trok ze de deken weg. Steven zat met een jonge poes op schoot. Die hadden ze nog niet eerder gezien.

'De tent zakte in elkaar toen hij op het dak sprong,' zei Steven. 'Die lange stok knalde boven op mijn kop. Ik wilde Thomas al in elkaar rammen, tot ik zag wie de echte schuldige was.'

Het was een grijze poes met een witte buik. Ze spon terwijl Steven haar achter de oren kriebelde.

Het was zo'n schatje dat Emma de knuffels liet vallen en haar uit Stevens handen griste. 'Wat ben jij zacht!' zei ze. 'Hoe heet je?'

'Ik noem hem Tom Poes,' zei Steven.

'Wat een stomme naam! Dat kan echt niet,' zei Emma. 'Dit is een Franse kat, dus moet hij een Franse naam krijgen. Wat dacht je van Mimi?'

Thomas bemoeide zich er ook mee. 'Wat maakt het uit?' zei hij. 'Katten luisteren niet naar hun naam.'

Doenk...

Opeens hoorden ze een vreemde stem: 'Est-ce que Lili est chez vous?'

Boven op het muurtje dat hun tuin van die van de buren scheidde, zat de buurjongen. Die van de computerspelletjes. Het was de eerste keer dat ze hem hoorden praten.

Emma staarde hem gebiologeerd aan. Met zijn zwarte T-shirt, zwarte bril en zwarte haren deed hij haar denken aan de gangsters uit de film die ze laatst met haar vriendinnen in de bioscoop had gezien. Maar dan een paar maten kleiner.

'Ça, c'est Lili.' De jongen wees naar de kat. 'It's my cat.'

'Dat is zijn poes,' zei Thomas.

'Kun jij hem verstaan?' vroeg Steven vol bewondering.

'Hij spreekt Engels.' Thomas wendde zich tot de buurjongen. 'Your cat come to us.'

'Vraag eens hoe de poes heet,' zei Steven.

'What is the name of your cat?' vroeg Emma. Thomas moest niet denken dat hij de enige was die een woordje Engels sprak.

'Her name is Lili.'

Het Engels van de buurjongen klonk heel anders dan Thomas en Emma van tv kenden, maar ze begrepen wat hij zei. De kat heette Lili.

'Is he a she?' vroeg Thomas.

'Yes, she is femelle.'

'No man?'

'No.'

Steven kon het niet zo goed volgen, dus moesten ze alles vertalen. Hij was teleurgesteld dat de poes geen Tom heette en dat het een vrouwtje was.

'What is your name?' wilde Thomas weten.

'Georges. And your?'

'I am Thomas. And this is my... eh...' Hij kon zo snel niet bedenken wat ze in het Engels tegen broer en zus zeggen, dus maakte hij het zich makkelijk: 'This is Emma and Steven.'

'Ah. Thomas, Emma and Steven. Bon. I come to you?' Georges legde zijn hand op zijn borst en wees vervolgens naar hun tuin.

Emma vond het best, zolang hij maar niet dacht dat ze de poes meteen weer teruggaf. Ze klemde het beestje dicht tegen zich aan.

Georges ging op het muurtje staan, hield zich vast aan de

overhangende struiken en sprong naar beneden. Bij het neerkomen verloor hij zijn evenwicht en viel languit in het gras. Hij krabbelde overeind en klopte zijn kleren schoon. Met een 'Bonjour' stak hij een hand uit.

'Die rare Fransen geven elkaar altijd een hand,' zei Steven.

'Pas maar op dat hij geen kus van je wil,' waarschuwde Thomas.

Emma negeerde zijn flauwe grap en gaf Georges een hand.

En zo hadden ze er ineens een speelmaatje bij. Een echte Fransman! Niet dat ze een woord Frans met hem wisselden, net zomin als Nederlands. Alles ging op zijn Engels. En als dat niet goed genoeg was, maakten ze met handen en voeten duidelijk wat ze bedoelden.

'Gaan we nog circus spelen?' vroeg Steven.

'Als Georges dat ook leuk vindt,' zei Emma.

Thomas vroeg hem: 'You want to play circus?' Hij was helemaal vergeten dat hij zich daar eigenlijk te groot voor voelde.

Georges keek hem vreemd aan. Dat woord kende hij nog niet.

Wat Thomas en Emma ook probeerden om het hem duidelijk te maken, niets hielp. Het enige wat hij begreep, was dat hij mee mocht spelen. Dat was voor hem voldoende.

Thomas, Emma en Steven verzonnen de gekste dingen en Georges deed op zijn eigen manier mee. Ze oefenden hun acts: acrobaten en clowns, een knuffeloptocht, de vuurspuwende draak (met een van paps aanstekers), maar de grote ster was Lili de poes. Georges liet haar op haar achterpoten dansen. Aan het eind van de middag hadden ze een compleet programma rond.

Emma schreef op een groot stuk karton de naam 'Circus Lili'. Thomas hing het hoog in de boom.

Het circus was te groot geworden voor de hut van doeken. Met palen uit de schuur maakten ze een (min of meer) ronde openluchtpiste. De bank en een paar tuinstoelen vormden de tribunes. De circustent en het zaagsel in de piste moest het publiek er maar bij denken.

Publiek? Steven trok mams boek uit haar hand en Emma klapte paps map met oude brieven dicht. 'Meekomen, want de voorstelling begint. Jullie zijn de eregasten, dus je hoeft geen entree te betalen.'

Dat was maar goed ook, want de voorstelling eindigde in chaos.

Het begon allemaal zo mooi. Op het moment dat Thomas 'Hooggeëerd publiek' riep, gaf een specht vijftig meter verderop een roffel tegen een dode boom. Wat een timing, die tamboer!

Maar dat was zo'n beetje het enige dat goed paste in de planning. De acrobaten maakten er een soepje van. Thomas en Georges zaten op hun knieën naast elkaar, en Steven klom op hun rug. Hij zat scheef, omdat Georges een stuk kleiner was dan Thomas. Emma tilde Lili op en zette haar op Stevens rug, maar de kat klauwde haar nagels dwars door Stevens shirt in zijn vel. Ze vond het maar niks en sprong op de grond. Daarbij kraste ze een flinke jaap op Stevens rug. Die verloor zijn evenwicht en gleed langzaam in het gras. Jankend van de pijn vloog hij in mams armen.

En ook bij de hoofdact liet Lili het afweten. Georges hield een kattenbrokje boven haar kop, maar de poes had bij het oefenen al zo veel gegeten dat ze er geen belangstelling meer voor had. Ze vleide zich loom in het gras en begon zichzelf schoon te likken.

'We doen eerst de vuurspuwende draak,' zei Emma kordaat.

Steven leidde de knuffel de piste in, waar Thomas al klaarstond, met de aansteker in zijn hand verborgen. Hij verheugde zich er al op zijn ouders te laten schrikken met een grote steekvlam. Natuurlijk zou dat volkomen veilig voor Emma's knuffel gebeuren. Maar Lili gaf hem geen kans. Opeens kwam ze weer in beweging. Ze draaide om de draak heen en gaf hem kopjes. Eerst probeerden Thomas en Georges haar te verjagen en toen dat niet lukte, wilde Georges haar oppakken. Maar Lili had kennelijk besloten bij alles dwars te liggen. Ze nam een aanloop en schoot als een aap de boom in. Op een van de hoogste takken poetste ze haar staart schoon.

De kinderen snapten niet dat pap en mam dat het leukste onderdeel van de voorstelling vonden. Maar uiteindelijk maakte het hun niet veel uit. Ze waren blij met hun nieuwe maatje Georges. Hij gaf hun vakantie vanaf die dag nog meer kleur, ook al was en bleef hij een vreemde snuiter. Zo bleek Georges niet gewend te zijn met andere kinderen te spelen. Hij zei soms op onverwachte momenten pesterige of gemene dingen. Hij porde Emma en Steven constant in de buik en hield niet op als ze hem daarom vroegen. En hij propte de helft van mams schaal koekjes naar binnen voordat de rest aan een tweede koekje kon beginnen. Maar meestal was hij gewoon gezellig en grappig. Het voelde snel zo vertrouwd, dat het leek alsof ze al jarenlang samen optrokken.

5

Een week lang leefde Emma in een roes van volmaakte tevredenheid. Ze vergat de kick van de volleybalwedstrijden, de pret op het schoolplein, haar knusse kamer thuis vol posters van knappe zangers en zelfs de slaapfeestjes met Anouk en Noortje. Dag na dag vulde ze met spelletjes, luieren, uitstapjes met de familie, dollen met Koket of Rambo, bezoekjes aan de snoepafdeling van de supermarkt, lezen of dagdromen. Niets spectaculairs, maar gewoon lekker genieten. Iedereen liep constant met een glimlach om de lippen rond. Zelfs Thomas vond niet langer dat de vakanties in Beaumont saai waren.

Ook de achtste dag beloofde weer een heerlijk feest te worden.

Emma, Thomas, Steven en Georges wilden achter in de wei pruimen plukken. De hele Limousin leek wel één grote boomgaard. Overal langs de wegen en in de weilanden groeiden fruitbomen en braamstruiken. Volgens pap bestond er een ongeschreven wet dat je van het fruit mocht plukken, zo veel als je wilde. Appels, peren en vooral heel veel pruimen. Emma wist niet dat er zo veel verschillende soorten bestonden: blauwe, rode, groene, gele, oranje – dikke, normale en héél kleine. Net zo groot als een kers. Allemaal smaakten ze anders, maar er was er niet één die vies was.

'Je moet wel je laarzen aan als je de wei in gaat,' zei pap.

'Wat?' reageerde Thomas fel. 'Het is veel te heet voor laarzen.'

'Kan me niks schelen,' zei pap. 'Ik heb laatst een joekel van een adder gezien. Die zijn hartstikke giftig!'

'Poeh, die slang is banger voor mij dan ik voor hem,' zei Thomas.

'Als je niet bang bent voor de slangen, doe het dan voor de koeienvlaaien. Vorige week stond er nog een kudde koeien in de wei. Het ligt er vol stront.'

In sandalen vol stinkende koeienstront had zelfs Thomas geen zin, dus trokken de kinderen hun laarzen toch maar aan. Georges mocht die van pap lenen.

'I know the best tree,' riep Thomas. 'Follow me.'

Ze holden de wei in; Emma met een grote emmer in haar hand.

De jongens graaiden dikke paarse pruimen van de grond.

Georges stak er een in zijn mond, maar spuugde hem direct weer uit. 'Merde!' schreeuwde hij met een vies gezicht. De pruim zat vol wormen. Met beide wijsvingers probeerde hij de beestjes uit zijn mond te poetsen.

De anderen konden hun lach niet houden.

Georges zag er trouwens zelf de lol ook wel van in. 'Don't eat the prunes from the ground,' waarschuwde hij met een brede grijns. 'There are little worms in it.'

'We moeten ze uit de boom schudden,' meende Thomas. 'Die zijn rijp maar nog helemaal gaaf.' Hij raapte een stok op en zwaaide er gevaarlijk mee door het bladerdek van de pruimenboom.

Het regende pruimen, maar ook takken. Steven kreeg er een op zijn kop.

Met vereende krachten raapten ze handenvol op. Een deel

van de oogst aten ze op. De rest ging in de emmer voor de pruimenjam. Zo namen ze elk jaar een stukje vakantie mee naar Nederland. Het was feest als er weer een pot zelfgemaakte jam op tafel kwam.

De emmer zat bijna vol, toen ze het bekende gedreun van Argentins graafmachientje hoorden. Ook Georges kende natuurlijk de verhalen over die halfgare kasteelheer. Hij kocht alle weilanden in en rond Beaumont op en ploegde ze dan helemaal om. Met een kleine graver groef hij kuilen, die hij weer dichtgooide met de grond en keien uit het volgende gat. Alsof hij naar iets op zoek was. Niemand in het dorp wist waarom hij dat deed, maar ze lachten hem wel stiekem uit om zijn geploeter.

Hij parkeerde zijn graafmachine precies aan de andere kant van de muur waar de kinderen hun pruimen raapten, stapte af en begon tegen hen te brullen als een baviaan. Zomaar. Geen vriendelijk 'bonjour', maar een eindeloze stroom van onverstaanbare, maar duidelijk boze kreten.

Emma schrok zich rot, maar Steven schoot in de lach. Het was ook een komisch gezicht, die dikke vent, zwetend in een mouwloos hemd. Zijn bretels sneden diep in zijn uitpuilende buik.

Maar Stevens spotlach gooide olie op het vuur. Argentin blafte nog harder. Spetters speeksel vlogen in het rond.

Georges maakte dat hij wegkwam. Over zijn schouder riep hij van alles terug naar de boze buurman.

De rest was zich van geen kwaad bewust, maar ze volgden Georges' voorbeeld en gingen ervandoor. Weg van de razende monsieur Argentin.

Emma redde de emmer. Het ding was behoorlijk zwaar, dus kwam ze als laatste in de veilige tuin van Georges.

'What said he?' vroeg ze hijgend.

'We were one pré too far,' legde Georges uit. 'He not like us on his land.'

'Wat zegt hij?' vroeg Steven. Hij begreep steeds meer van het Engels van Georges, Thomas en Emma, maar als hij iets precies wilde weten – en dat gebeurde nogal eens – vroeg hij om Nederlandse ondertiteling.

'Die gek wil niet dat we over zijn land lopen,' zei Thomas.

'Hè?' Steven fronste zijn wenkbrauwen. 'Volgens pap mag je hier overal door de weilanden lopen, als je maar niets stuk maakt en de beesten niet opjaagt.'

'Niet overal, dus,' merkte Thomas op.

'Maar hoe weet je dan welk veld van Argentin is en welk niet?'

'Goeie vraag!'

'He said what?' wilde Georges op zijn beurt weten.

'Nothing,' zei Thomas. 'Nothing special.'

'Pap en mam wachten op de pruimen,' zei Emma. 'Ik breng ze vlug, want we kunnen pas zwemmen als de jam klaar is.'

'Doe ze de groeten,' zei Thomas. En tegen Georges: 'We watch tv?'

De jongens gingen bij Georges naar binnen, terwijl Emma de oogst naar huis bracht.

Veertien potten pruimenjam en anderhalf uur later kwamen ze aan bij het meertje. Die paar kilometer pasten er wel vier kinderen op de achterbank, dus mocht Georges mee.

Hij was min of meer geadopteerd door de familie De Leeuw. Zijn ouders werkten tachtig uur per week in hun winkel in de stad. Ook tijdens de vakanties. Georges moest zichzelf dan maar zien te vermaken. Dat deed hij tot voor kort vooral achter zijn computer, omdat in het dorp geen andere kinderen woonden om mee te spelen. De vriendschap met Thomas, Emma en Steven opende een compleet nieuwe wereld voor hem. Hij ontdekte zaken waar hij geen weet van had. Gretig leerde hij samen spelen, en met iets minder gretigheid samen delen. En soms keek hij zijn ogen uit. Bijvoorbeeld toen ze bij het meer met zijn strand en zwemwater aankwamen. Heel de wereld kende deze heerlijke plek. De gemeentecamping boven op de heuvel trok elk jaar massa's Nederlanders en Fransen. Maar Georges wist niet eens dat er zo dicht bij Beaumont een stuwmeer lag!

Het was een bloedhete zomerdag. Als je uit het water ging, was je binnen een paar tellen droog. Maar wie wilde er nou in die hitte liggen bakken? Georges en zijn nieuwe vrienden zeker niet. Ze speelden volley- en trefbal in het water en hielden daarna een luchtbedgevecht, wat overging in een wilde partij krijgertje tussen Thomas en Georges.

Thomas kon veel sneller zwemmen en rennen dan Georges, maar die gaf niet op en bleef zijn vriend achtervolgen. In de hoop Thomas de pas af te snijden, denderde hij dwars door de deltawerken van een paar kleine jongens.

De vader greep hem bij zijn arm. 'Kun je niet uitkijken?'

'Quoi?'

'Moet je zien wat je doet, joh!' De vader wees naar de sporen van Georges' voeten in de dijken en kanalen. De kleine jongens keken beteuterd.

'Excusez-moi,' zei Georges. Hij probeerde zich los te rukken.

'Excusez? Wat hebben mijn jongens daaraan?'

Emma kwam schoorvoetend dichterbij. 'Zullen we helpen het weer goed te maken?'

'Bemoei je er niet mee!'
'Hij is onze vriend.'
'Nou nog mooier. Wat moet jij nou met die buitenlander?'
'Dit is toevallig wel zijn land!' riep Thomas boos.
'Dan moet hij zich nog gedragen!' bromde de vader, maar hij liet Georges' arm wel los. 'En nou oprotten, voordat ik echt kwaad word.'
Pap was net te laat om de boel te sussen. Hij en mam waren na hun rondje door het meer op het grasveld gaan liggen. Mam om te zonnebaden, pap om te lezen. Met een scheef oog had hij het opstootje opgemerkt.
'Wat was dat?' vroeg hij aan Steven.
'Georges probeerde Thomas te vangen en liep toen door het graafwerk van die kleuters. Nou, dat vond die vader niet leuk.'
'Hmm... Nederlander zeker?'
Steven lachte. 'Goed geraden.'
'Heb je zin in een ijsje?'
Dat hoefde hij niet te herhalen. Ze liepen samen naar de blokhut met het restaurantje en de waterfietsverhuur.
Veel keus was er niet in de diepvries. De kinderen namen het grootste ijs en holden ermee naar de plek waar mam lag te soezen.
'Hier is je ijsje,' zei Thomas.
Mam reageerde niet.
Thomas legde het waterijs op haar rug.
'Oesj!' gilde mam. Ze schoot overeind. 'Dankjewel... Waar heb je pap gelaten?'
Emma keek rond. Daar stond hij, bij het barretje, druk in gesprek. Pas toen ze de laatste hap van haar ijsje nam, plofte hij op zijn badhanddoek.
'En?' vroeg Thomas veelbetekenend.

'En wat?'

'Lekker geflirt? Leuke meid, die Céline, vind je niet?'

Thomas had gezien dat de dochter van monsieur Argentin achter de bar stond.

'Ja, ze is een leuker kind dan jij,' antwoordde pap. 'Céline doet hier vakantiewerk. Ze is net geslaagd voor haar examen, maar heeft nog geen vast werk. Dat is een groot probleem hier. Veel te weinig banen voor jonge mensen. Die willen allemaal naar Limoges. Of nog liever naar Parijs. Daar denken ze wel werk te vinden. Bovendien valt er meer te beleven. Céline wil ook graag naar de stad, samen met haar vriend Jacques. Ze vindt het maar een duffe boel in Beaumont.'

'Echt?' Steven kon zijn oren niet geloven. 'Wie wil er nou niet op een kasteel wonen?'

'Dat vroeg ik haar ook, maar ze trok een vies gezicht. Kennelijk is er niets aan als er geen ridders en witte paarden rondlopen.'

Thomas gooide het stokje van zijn ijsje in het gras. 'Gelijk heeft ze. Wie wil er nou in zo'n hoop oude stenen wonen? Met die zuurpruim van een vader! Ik duik er weer in. Wie het laatst in het water ligt, is een pussy!' En weg was hij, met Georges en Steven op zijn hielen.

Emma besloot even naast mam te gaan liggen om bruin te bakken. De meiden thuis moesten toch kunnen zien dat ze naar de zon was geweest.

Ze had haar ogen nog niet dicht, of de jongens kwamen alweer teruggehold. 'Kom gauw!' riep Thomas. 'Er is iemand verdronken!'

De reddingsboot van de badmeester voer vol gas terug naar het strand.

'Het is iemand van die waterfiets,' wist Thomas.

Iedereen rende het strand op. Daar tilden een paar mannen een jonge knul uit de boot en droegen hem naar het badmeestershuisje. De deur en de luiken gingen dicht om geen last van pottenkijkers te hebben. Uit het hutje klonk een kreet van pijn.

'Die is niet verdronken,' zei pap opgewekt.

Mam keek hem boos aan. 'Wat zeg je nou weer voor iets stoms? Het is maar goed dat niemand je kan verstaan.'

Maar daar vergiste ze zich in. De lange man naast haar zei: 'Die knul was aan het stunten op een waterfiets. Hij is met zijn voet tussen de schroef gekomen.'

'Is het ernstig?' vroeg pap.

'Ik hoop het,' zei de man. 'Dat stelletje is al de hele week aan het klieren. Die jeugd van tegenwoordig kent geen fatsoen, dat zeg ik je.'

'Nou nou,' suste pap, 'dat valt best mee. Op onze school...'

'Ach, hou toch op. Ik zie het bij ons in de buurt: allemaal kleine criminelen! Daar hoef je tegenwoordig niet eens voor uit Marokko te komen.'

'Kom, Mark,' zei mam, 'we gaan weer het water in.' Ze trok pap mee. Het was duidelijk dat ze geen zin had in een gesprek met de vakantieganger.

Emma kreeg de bibbers van het ongeluk. Haar zouden ze voorlopig niet meer horen zeuren over een tochtje op een waterfiets!

Gelukkig bood het watervolley genoeg afleiding. Die malle Georges snapte er geen snars van (of hij deed maar alsof). Hij maakte spectaculaire snoekduiken en bokste de bal veel te hoog en te ver weg. Ze werden er allemaal melig van, maar het was wel erg leuk.

Aan het eind van de middag kwamen er donkere donderwolken aandrijven. Mam zag ze het eerst. Ze was bang voor een plotselinge onweersbui, zoals ze die wel vaker hadden meegemaakt. In de Limousin kon het weer in korte tijd omslaan.

'Kom, het water uit,' zei ze. 'Snel afdrogen en dan de auto in.'

Het was maar een kort, heftig buitje. De regen spoelde het stof van de auto. Maar nog voor ze in Beaumont aankwamen, keerde de zon terug en droogden de regenplassen alweer op.

Thuis begon een gevecht om de douche. Thomas en Steven kibbelden wie het eerst mocht, maar Emma had al een schone handdoek en kleren gehaald. Zij mocht eerst.

Thomas bonkte op de deur, terwijl ze heerlijk wegdroomde onder de straal warm water. Hoe harder hij bonkte, hoe langer ze het volhield, ook al was het laatste zand allang tussen haar tenen uit gespoeld.

Uiteindelijk leek hij het te begrijpen, want het werd stil.

Ze draaide de kraan dicht, droogde zich rustig af en nam de tijd zich aan te kleden. Daarna zocht ze in de keuken haar boek op.

Ze hoorde pap buiten mopperen: 'Rothond, schiet op! Mijn auto uit. Allez, vite!'

Emma lichtte de vitrage van het raam op en zag pap gebaren en wijzen. Rambo zat hoopvol in de achterbak. Hij had wel zin in een ritje, maar pap had andere plannen. Rambo zou geen vlieg kwaad doen, maar pap durfde hem toch niet bij zijn halsband te pakken en de auto uit te trekken.

'Eruit!' riep hij. 'Ga je baas vervelen.'

Rambo blafte vrolijk.

Emma proestte het uit. Dit kon nog wel even duren.

Maar pap kreeg een goede ingeving. Hij raapte een verloren tennisbal van Thomas op en gooide hem zo ver hij kon van zich af.

Rambo sprong de auto uit en stoof erachteraan.

Vlug pakte pap de tassen en gooide de achterklep dicht. 'Haha, gefopt,' riep hij.

Rambo legde de bal netjes aan zijn voeten, maar pap stapte eroverheen. 'Zoek maar een ander slachtoffer!'

Hij verdween in de tuin om de badlakens op te hangen. Toen hij eindelijk klaar was, zaten ook Thomas en Steven al met hun Donald Ducks aan de keukentafel. Mam stapte net voor hem onder de douche.

'Laat je wat warm water voor mij over?' vroeg hij.

Mam deed of ze hem niet begreep. 'Wat zeg je?'

Pap hield wijselijk zijn mond. Mam hoorde toch niks onder het kletterende water.

Hij vond zichzelf weer eens heel zielig. Als hij zo'n bui had, kon je maar beter uit zijn buurt blijven. Dat ging nu moeilijk, want even later voegde hij zich bij zijn kinderen in de keuken.

Thomas zag de bui al hangen en vluchtte naar buiten.

Mopperend ruimde pap de picknickmand leeg. 'Wat een familie! Moet je kijken wat een troep. Wie laat de koelkast toch altijd openstaan? En waarom ligt de dop van de cola weer naast de fles? Wat zijn jullie toch een stel sloddervossen. Wie heeft jullie zo opgevoed?'

'Dat was jij zelf,' antwoordde Steven droog.

'Wat? Ik drink nooit cola.'

'Jij hebt ons zelf opgevoed.'

Pap wist niet of hij moest lachen of boos worden. 'Ruim nou maar op, voordat mam het ziet.'

'Voordat ik wat zie?' vroeg mam. Ze had een handdoek als een tulband om haar natte haren gewikkeld.

'Niks,' zei Steven, die vlug de fles wegzette. 'Doeidoei.'

'Waar ga jij naartoe?'

'Naar de hooizolder.'

'Mooi niet,' zei mam. 'Je bent net schoon. Trouwens, jullie zouden helpen met koken, weet je nog? Steven, zoek Thomas! Die zal wel weer aan het voetballen zijn. Emma, pak jij de aardappels uit de kast?'

Pap glipte de keuken uit. 'Ik ga douchen.' Een mooie smoes om niet te hoeven helpen met koken.

Emma schilde de aardappels. Sinds ze een paar jaar geleden het topje van haar vinger had afgesneden, lette ze dubbel zo goed op bij dit klusje. Ze was zo ingespannen bezig dat het mes toch weer uitschoot bij de ijselijke kreet: 'Woehaa!'

Het kwam uit de badkamer.

Gelukkig zat haar duim er nu nog helemaal aan. Ze stopte hem in haar mond om het bloeden te stelpen.

'Wat zijn jullie toch een stelletje aso's!' Pap stampte de keuken binnen, met een handdoek om zijn heupen en een wolk shampoo in zijn haar. Het deed Emma denken aan de man uit die film laatst.

Iedereen schoot tegelijk in de lach.

'Wat zit je nou achterlijk te hinniken? Je doet de hele dag al of ik Gekke Henkie ben. Hoe vaak moet ik nog zeggen dat er niet genoeg water voor een heel weeshuis in de boiler zit? Je kunt hier geen uren onder de douche staan. Dan raakt het warme water op. Hou eens wat meer rekening met elkaar!'

De lachbui verstomde. Pap was nu echt woest. Het was gevaarlijk als hij boos werd. Thomas hoopte dat hij niet bij zijn vader in de klas kwam, maar een andere leraar geschiedenis zou krijgen. Op school scheen hij nóg sneller uit zijn slof te schieten.

Maar mam was niet onder de indruk van zijn uitbarsting. 'Doe even normaal. Over een uur is het water weer warm.'

'Stik!' Het kwam uit de grond van zijn hart. Mokkend verdween hij.

'Laat hem maar,' zei mam. 'Paps buien zijn net als het onweer. Het waait vanzelf weer over.'

Zoals gewoonlijk had ze ook nu gelijk. Na het eten was pap weer in een goede bui. Ze deden een spelletje kaarten in de tuin. En ook al verloor hij alle potjes 'pesten', hij verloor zijn goede humeur niet.

Op een gegeven moment rukte de schemering zover op, dat mam het welletjes vond. 'Over een half uur is het donker en dan liggen jullie in bed,' zei ze.

Pap steunde de protesten van de kids. 'Ben je mal? Het is nog veel te heet in huis. Je drijft je bed uit.'

Meestal verloor hij dit soort discussies. Als het erop aankwam, was mam de baas. Maar deze keer vond ze paps argument sterk genoeg om hem een keer zijn zin te geven.

'Zullen we de stormlamp aandoen?' stelde Steven voor. 'Dan kunnen we verder spelen.'

'Ik weet niet of er genoeg lampolie in zit,' zei pap.

'Daar komen we vanzelf achter,' zei Thomas. 'Mag ik je aansteker even, Mark?'

Aan een brede tak van de pruimenboom hing de grote stormlamp. Hij was helemaal verroest, maar deed het nog steeds prima. Op avonden als deze gaf hij genoeg licht om een spelletje te spelen of een boek te lezen.

Thomas deed het glaasje omhoog en knipte paps aansteker aan… om hem meteen weer uit zijn hand te laten vallen. Geschrokken van het onweer dat plotseling losbarstte. Een bliksemschicht verlichtte het dal, direct gevolgd door een enorme knal. De eerste dikke regendruppels spatten op de kaarten.

Ze graaiden alle spullen bij elkaar en vluchtten naar binnen. Mam stak voor de zekerheid een paar kaarsen aan op de schouw boven de kachel. Na elke flits gingen de lampen uit om een paar tellen later weer aan te floepen. Zo ging dat altijd bij onweer in Beaumont. De oude, bovengrondse stroomdraden konden die stoten elektriciteit in de atmosfeer niet aan. Bij de derde knal was het peertje van de schemerlamp stuk.

Het onweer bleef tussen de heuvels hangen. Het leek zelfs nog verder aan te zwellen. Na een kwartier was het zover: bij een krakende bliksemflits viel de stroom helemaal uit. Het was maar goed dat de kaarsen brandden. Door de spiegel leken het er twee keer zoveel, en toch was het maar schemerig in de kamer.

'Zo zaten de mensen hier vroeger ook als het onweerde,' zei mam.

'Maar dan zonder chips en limonade,' merkte pap op. 'Vroeger was het niet zo gezellig. De boeren gingen met de kippen op stok. Dat doen de oudere mensen hier nog steeds. Rond dit tijdstip liggen ze al urenlang op één oor. En morgenochtend, als wij nog in dromenland ronddwalen, zijn zij alweer uit de veren. Vroeger moesten de mensen trouwens veel harder werken. De hele dag lang. En 's nachts gingen de deuren en de luiken dicht. De nacht was voor de geesten en de demonen. En voor Marie de heks.'

Emma veerde op. Pap had weer een verhaal in zijn hoofd. Daar mocht hij haar 's nachts voor wakker maken! Of beter nog: net zoals nu vlak voor bedtijd beginnen en niet meer stoppen voor het krieken van de dag. Ze verbaasde zich er zelf wel eens over dat ze overal bang voor was, behalve voor zijn griezelverhalen. Om de een of andere reden voelde ze zich bij hem veilig.

Ze was niet de enige met voelsprieten voor paps verhalen.
'Is dat echt waar?' vroeg Steven zacht.

'Jazeker,' zei pap. 'Zo echt als het onweer. Heeft iemand de luiken en de deuren al dichtgedaan?'

'Nee,' schrok mam. 'Straks regent het overal binnen. Ik loop gauw even een rondje.' Ze verdween met een kaars in de hand.

'Vertel eens van die heks,' zei Thomas gretig.

'Heb je het verhaal van Marie nog nooit gehoord?'

'Nee, hoe gaat dat?'

Buiten klonk weer een donderslag.

Pap vertelde over Marie, de heks van de Limousin; hoe klein en lelijk ze was. 'Zo lelijk dat zelfs haar eigen moeder bang voor haar was. Toen ze zeven jaar oud werd, joegen haar ouders haar de deur uit. Diep in de bossen bij La Montagne groeide ze op. Dieren leerden haar de toverkunst. Uit wraak voor de gemene manier waarop de mensen in de streek haar behandelden, ging ze hen pesten. Het begon met het vergiftigen van de waterputten en het laten verdorren van de oogst. Maar Marie werd steeds brutaler. Tegenwoordig klopt ze aan bij de mensen en vraagt met een lief stemmetje of ze binnen mag komen. Als je de deur voor haar opent, blaast ze een enorme wolk roet naar binnen. Het kost dagen voor alles weer schoon is. En al die tijd hoor je vanuit de bossen de gemene lach van Marie.' Pap liet een akelig, krakend lachje horen.

'Dat is niet echt, hè pap?' vroeg Steven met een bang stemmetje.

'Wat denk jij dan? Dat ik hier van alles uit mijn duim zuig?'

'Loopt die heks nog steeds rond?' wilde Thomas weten. Hij probeerde zijn stem stoer te laten klinken.

'Misschien heeft zij voor het onweer gezorgd,' zei pap. 'En voor de stroomuitval.'

'Wij doen niet open als ze aanklopt, hè?' Steven keek pap met grote ogen aan.

Er klonk gestommel in de hal; gemorrel aan de deurklink.

Emma's hart sloeg over.

Natuurlijk wist ze dat paps fantasie weer met hem aan de haal was gegaan, maar hier sloten het verhaal en de werkelijk zo naadloos op elkaar aan, dat kon haast geen toeval zijn. Zelfs pap leek te schrikken – of deed hij alsof?

Steven kroop van pure angst dicht tegen pap aan, ervan overtuigd dat Marie de heks voor de deur stond.

'Hallo,' riep mam. 'Kan iemand de deur voor me openen? Ik sta hier met volle handen.'

Thomas sprong op en liet mam binnen.

In haar ene hand droeg ze de kaars en met de andere hield ze een stapel pyjama's vast. Verbaasd keek ze hen een voor een aan. 'Wat is hier aan de hand? Het lijkt wel alsof jullie een spook hebben gezien.'

'Uh... nee hoor,' zei pap. 'Ik heb een verhaaltje verteld. Dat is alles.'

'Toch niet te spannend, hoop ik,' zei mam. 'Het onweer is overgetrokken. De slaapkamers zijn lekker afgekoeld. Het is bedtijd.'

Het lukte Emma niet meteen in slaap te vallen. Net als Thomas. Hij sloop naar haar kamer en kroop op het bed.

'Waar haalt Mark al die verhalen toch vandaan?' zei hij.

Dat was een domme vraag, want ze wisten allebei donders goed het antwoord: van opa. Ze hadden hem goed gekend. Wat een man was dat! Elke dag hard werken op zijn boerderij. Zijn knoestige handen kreeg hij met geen zeep en schuurspons meer schoon. Ze waren vergroeid met de klei waar ze wonderen mee verrichtten. Nergens kon je lekkerder aardbeien of aardappelen krijgen dan bij opa. Alsof je de liefde die hij in de aarde stak kon proeven. En wat te denken van die verrukkelijke eieren met oranjegele dooiers en de boter die hij zelf maakte van verse koeienmelk? Alleen de melk vond Emma een gruwel. Weeïg van smaak en nog halfwarm van de koe.

Opa leefde in zijn eigen tijd. Televisie vond hij maar niks. Liever zat hij na een lange werkdag 's avonds op zijn bankje achter het huis. Uitkijkend over zijn tuintje en de kippenren. Net zolang tot het helemaal donker was.

Als ze bij hem op bezoek waren, gleden Emma en Thomas moeiteloos opa's tijd binnen. Heerlijk waren die avonden op het terras. Luisterend naar opa's verhalen. Die gingen over de mensen om hem heen; buren, dorpsbewoners. Maar geen van allen waren het gewone mensen. Zijn wereld bestond uit helden, dorpsgekken, roddeltantes, sullen, valseriken, heksen en tovenaars.

'Opa zei dat heksen echt bestaan,' zei Thomas. 'Hij vertelde vaak over Zwarte Sien bij hen uit het dorp. Die was verschrikkelijk gemeen! 's Nachts vloog ze op haar bezem over de hei. Dan glipte ze bij de mensen naar binnen en legde haar hand op hun hoofd. De volgende dag zaten de mensen onder de luizen.'

'Lekker, zeg,' mopperde Emma. Ze was net over de schrik van Marie heen. 'Kun je niks leukers vertellen?'

Dat had ze beter niet kunnen zeggen. Thomas kende nog veel meer griezelige geschiedenissen. Allemaal van opa geleerd. Toen zijn verhalen op waren, zei hij: 'Ik heb een idee! Zullen we Mark en Eva eens laten schrikken? Als ze straks slapen gaan we heksen, met enge geluiden en een natte washand.'

'Dat lijkt me geen goed plan,' zei Emma. Zij hield niet van pesterijen. Je wist nooit wat de reactie daarop was. Haar fantasie ging veel te vlug met haar op de loop. Dan zag ze al helemaal voor zich hoe van het een het ander kwam. Uit een simpel geintje kon een complete oorlog groeien. Nee, zij waagde zich niet zo snel aan ondoordachte grappen. 'Pap is vandaag al een keer goed kwaad geweest. Laat hem maar even met rust.'

'Schijtlaars,' zei Thomas. 'Dan doe ik het toch alleen!' Hij vertrok naar zijn kamer om zijn plannen verder uit te broeden.

Emma vond het best. Zolang zij er maar niets mee te maken had.

Voor ze het in de gaten had, zakte ze weg in een diepe slaap. Door haar droom spookten twee heksen. Met wapperende zwarte jurken vlogen ze op bezemstelen om het huis. De een strooide bliksemschichten in het rond en de ander blies zwarte rook uit haar mond. Emma probeerde het raam te sluiten, maar het was al te laat! De heksen glipten haar kamer binnen. Ze vluchtte het bed in, onder de lakens. Een van de heksen legde een hand op haar hoofd. Het begon overal te kriebelen.

Op dat moment deed ze iets wat ze normaal alleen in haar dromen durfde. Ze liet zich niet langer bang maken door dat stelletje klierende heksen. Ze gooide het laken van zich af, schoot overeind en riep: 'Laat me met rust!'

En toen stond zij daar, in de hoek van de kamer. Geen heks, maar een vrouw. Een blauwe schim, in een lange, donkere jurk vol kant en ruches. Haar haren waren in een knotje opgestoken, met een grote speld erdoor. De vrouw straalde als een blauwe lamp in de mist en zaaide gedimd licht om zich heen. Ze leek een eindje boven de vloer te zweven. Met een paar holle, trieste ogen keek ze Emma zwijgend aan.

Emma zat klaarwakker rechtop in bed. Even meende ze dat het Zwarte Sien was, maar ze realiseerde zich dat dat onmogelijk was. De schim was niet zwart, maar blauw. Ze deed haar denken aan de dames op de oude foto's die beneden in de hal hingen. Als die niet helemaal vergeeld en vervaagd waren, zou de geest er zo uit gestapt en naar haar kamer gewandeld kunnen zijn.

Sprakeloos gaapte Emma naar de verschijning, met kippenvel over haar hele lijf. Haar gedachten tuimelden over elkaar heen. Of het nou Zwarte Sien, een dame van de foto's of iemand anders was, ze hoorde niet in dit huis. De deuren gingen elke nacht op slot, dus kon ze ook niet stiekem naar binnen geslopen zijn. Het kon maar één ding betekenen: ze droomde! Een enge droom. Het kwam vast door die griezelige verhalen.

Emma was verbaasd over haar conclusie. Kun je wel nadenken als je droomt? Of kun je dromen dat je droomt? Ze haalde zich wel vaker van die duizelingwekkende vragen in haar hoofd. Als een hond die achter zijn eigen staart aan zit.

Die hersenspinsels hielpen haar niet verder. Dat vreemde mens bleef haar aankijken.

Emma besloot het zichzelf makkelijk te maken: dit was een droom, punt uit! En zij was de baas over haar eigen droom. Om de blauwe vrouw niet meer te zien, hoefde ze alleen maar haar ogen te sluiten. Dat deed ze, terwijl ze terugplofte op het kussen. Dat was het dan.

6

Emma gleed die nacht van de ene nachtmerrie in de andere. Vlak voordat ze wakker werd, zat er weer een andere heks achter haar aan. De blauwe jurk wapperde over de bezemsteel. Met een duikvlucht vloog ze recht op Emma af. Ze moest bukken om niet omgekegeld te worden. De heks streek met een kletsnatte hand over Emma's haren.

'Nee, ik wil geen luizen,' gilde ze en ze sloeg de aanvalster wild van zich af.

Een natte washand plofte in haar nek. In een reflex greep ze hem en slingerde hem van zich af. Het was een effectieve manier om gewekt te worden.

Thomas en Steven stonden naast haar bed.

'Heb je luizen?' joelde Thomas. 'Is Zwarte Sien op bezoek geweest?'

Steven lachte. 'Goeie grap! Jij was het proefkonijn. Vannacht gaan we bij pap spoken.'

'Leuk hè,' zei Thomas met een brede grijns. 'Zal ik je nog wat beter wakker maken?' De treiterkont probeerde de washand in haar nachthemd te proppen.

Maar hij hield geen rekening met een pesthumeur van zijn zus. Voor hij het in de gaten had, kreeg hij een vuist op zijn neus.

Even was het stil, maar al snel herstelde Thomas zich. 'O, wil je vechten? Ook goed!' Hij trok zijn T-shirt uit en zwaaide er – oerwoudgeluiden makend – mee in het rond.

Opnieuw verkeek hij zich op zijn zus. Er borrelde een ongekende woede in haar op. Als een dolle neushoorn beukte ze haar hoofd in Thomas' maag. Ze maakte gebruik van zijn verbazing, griste een handdoek van de stoel en joeg hem in de hoek.

Vlak voordat ze toe wilde slaan, voelde ze plotseling een koude rilling. Daar, in de hoek bij de kast, zweefde een paar uur eerder de blauwe geest van een vrouw. Was dat nou een droom geweest of had ze er echt gestaan? Emma was opnieuw in verwarring. Stijfbevroren bleef ze staan.

Dat gaf Thomas de kans zich te herstellen. Dreigend hield hij zijn T-shirt in de aanslag. 'Kom maar op, als je durft!' Maar voordat hij een zwiep kon uitdelen, kreeg hij een beuk van de openzwaaiende deur. Hij kon maar net zijn evenwicht bewaren.

Paps slaperige hoofd stak om de hoek van de deur. 'Ook goeiemorgen!' zei hij. 'Kunnen jullie elkaar met iets minder herrie de kop inslaan? Dan doen wij onze ogen nog even dicht. De lijken ruim ik straks wel op!'

Emma was blij met paps tussenkomst. De vechtpartij eindigde onbeslist. Thomas en Steven vertrokken en zij kroop terug in bed.

In gedachten keerde ze terug naar de verschijning op haar kamer. Was het een droom? 's Nachts maakte ze soms de vreemdste dingen mee. 's Ochtends herinnerde ze zich dan dat ze iets geks had meegemaakt, maar kon ze niet meer zeggen wat precies. Dit was anders. Deze droom stond haar nog helder voor ogen. Had ze wel gedroomd? Of had ze écht een blauwe vrouw gezien? Maar dat kon toch niet? Mensen waren niet blauw. En ze konden niet boven de vloer zweven. Hoe waren die ouderwetse kleren te verklaren?

Langzaam drong zich een andere mogelijkheid aan haar op: zou het soms een spook geweest zijn dat haar uit haar slaap gehaald had? Maar spoken bestonden niet. Dat was algemeen bekend! Maar wat was het dan wel? Hoe kwam ze daar nou achter? Ze kon niemand bedenken bij wie ze te rade zou kunnen. Stel je voor dat ze haar niet serieus namen. Ze hoorde Thomas al: 'Emma ziet ze vliegen! Emma ziet spoken!' Of mam, die meteen met haar naar een dokter zou willen. En pap die dat weer onzin vond en zou zeggen dat ze het gewoon gedroomd had. Maar ze hád niet gedroomd. Ze had die blauwe vrouw echt gezien! En het nare was, ze had het gevoel dat die vrouw door haar gezien wilde worden. Waarom? Zou ze vannacht weer terugkomen?

Verwarring nestelde zich in Emma's hoofd. Zoiets vreemds had ze nog nooit meegemaakt. Ze zag wel eens een geest op tv en las er soms over in een boek. Maar daar was ze nooit bang voor geweest. Dat was zo overduidelijk fantasie. Maar de afgelopen nacht stond er écht een geestverschijning in haar kamer. Wat had dit te betekenen? Waar kwam die vrouw vandaan? Wat wilde ze van haar? Het duizelde haar voor haar ogen. Denk eens even goed na, zei ze tegen zichzelf: geesten bestaan helemaal niet. Je zult het toch echt gedroomd hebben. Zo was het en niet anders!

In de keuken onder haar werd de tafel gedekt. De geluiden vermengden zich met haar hersenkronkels. Bordjes ketsten tegen elkaar, de fluitketel gilde dat het water kookte, keukenkastjes klepperden open en dicht en op de radio zong een zware mannenstem een zonnig lied.

Ze deed haar best om terug te keren in de vakantiesfeer, maar dat viel niet mee. Ze had naar gedroomd en slecht geslapen. Genoeg reden om knorrig te zijn! Maar niet in het bed naast de onheilsplek die haar constant aan de ontmoeting in haar droom herinnerde.

Wankelend stapte ze uit bed. Haar armen en benen leken tien keer zo zwaar als gisteren. Met moeite hees ze zich in haar korte broek en mouwloze roze topje.

Als een halve zombie schoof ze even later aan tafel.

'Ook goeiemorgen,' zei pap vrolijk. 'We zijn compleet, dus jullie mogen aanvallen.'

In een waas volgde Emma het dagelijkse ontbijttafereel. Steven en Thomas zetten hun tanden in een croissant, pap legde dikke plakken ham op zijn stokbrood en mam smeerde een dun laagje boter op een cracker en onthoofdde haar zachtgekookte ei. Het werd stil aan tafel. Als katjes muizen, dan mauwen ze niet!

'Is er iets?' vroeg mam.

'Ze is nog pissed.' Er klonk trots in Thomas' stem door.

Steven grinnikte.

'Meisje?' probeerde mam weer.

Nu pas realiseerde ze zich dat haar iets gevraagd werd. 'Wat?'

'Heb je geen honger?'

'Nee.'

'Je moet iets eten, anders val je straks flauw.'

'Nee, dank je.'

'Heb je het al gehoord?' zei Steven. 'We gaan vandaag naar Limoges.'

'Oké.'

'Oké?'

Er viel een korte stilte. Het bezoek aan de stad vormde altijd een van de hoogtepunten van de vakantie. Eén dag tussen de mensen, picknicken in een park, speeltuintjes, winkelen, ijsjes eten op een terras en – vooruit, om pap en Steven een plezier te doen – meestal ook een museum. Niemand begreep waarom Emma niet enthousiast reageerde op Stevens mededeling.

'Ben je ziek?' wilde mam weten.

'Nee, ik heb gewoon een pestbui. Mag het?'

'Wat er in je hoofd rondspookt, moet je zelf weten. Maar val ons er niet lastig mee.'

Dat stak Emma dieper dan mam in de gaten had. De boodschap was nu helemaal duidelijk. Ze moest haar probleem in haar eentje oplossen.

Pap legde een croissant op haar bord. 'Opeten.'

Ze staarde naar het gekrulde broodje. Normaal vormde die lekkernij het beste begin van een dag dat ze zich kon voorstellen, maar nu kreeg ze het niet door haar keel. Daar zat iets gruwelijk in de weg.

Het ontbijt veranderde in een stille strijd. Thomas begon ongemakkelijk op zijn stoel te wippen. Hij voelde de bui al hangen. Niemand van tafel voordat de laatste klaar was, luidde de familieregel. Thomas had een vreselijke hekel aan stilzitten.

Hij spoorde zijn zusje aan. 'Kom op, dan kunnen we zo vertrekken.'

'Thomas,' zei pap met een waarschuwende blik.

Diepe zucht.

'Emma,' zei mam streng. 'Je eet minstens een halve croissant en je drinkt je chocomelk op. Daar valt niet over te marchanderen.'

Steven keek verbaasd op. Zoiets deed mam alleen als er iets vies op tafel stond. Gekookte witlof bijvoorbeeld, of zuurkool... 'Mag ik de andere helft?' vroeg hij gretig.

Emma kende de huisregels ook. Ze sneed haar croissant expres in twee ongelijke helften en gaf het grootste stuk aan haar broertje. Tegen heug en meug nam ze een hap. Ze moest ervan kokhalzen, maar mams blik verried dat ze het beter kon doorslikken dan uitspugen. In kleine hapjes en slokjes werkte Emma haar verplichte ontbijt naar binnen.

Haar eetlust werd er niet beter op toen pap een flinke homp schimmelkaas op zijn laatste stuk stokbrood smeerde. 'Heilige kaas' noemde hij dat, omdat hij hem zo lekker vond. In de hemel aten ze het elke dag, beweerde hij. Daar dacht de rest van de familie anders over. Zij gruwelden van zijn stinkkaas. Als hij na het eten zijn tanden niet poetste, hing de geur van koeienstront de rest van de dag om hem heen.

Uiteindelijk lukte het Emma de laatste hap weg te spoelen.

'Mark, ruim jij de tafel af?' vroeg mam. 'Dan trek ik me nog even vijf minuten terug in de badkamer.'

Thomas' gezicht stond op onweer! Eerst moest hij op zijn zus wachten, en nu weer op mam. Aan vijf minuten had ze nooit genoeg om zich op te tutten.

Er zat niets anders op dan geduldig te wachten. Steven en Thomas klungelden wat met het skateboard op de hellende straat voor het huis, en pap ruimde de tafel af.

Emma ging op het trapje voor de deur zitten. Blij dat het haar lukte nergens aan te denken.

Pap kwam naast haar zitten. 'Een mooie dag voor de stad,' zei hij.

Ze reageerde niet, maar Steven wilde weten of ze nog iets speciaals gingen doen.

'Er is genoeg te zien,' zei pap. 'De tuinen bij de kathedraal, de pleinen, de markthallen, musea... Je zegt het maar.'

'Nee hè,' mopperde Thomas. 'Ik heb alle kerken en musea van Frankrijk al drie keer gezien. Kunnen we niet meteen naar een terrasje of de speelgoedwinkel gaan?'

‘Nee,’ zei pap resoluut, ‘we gaan eerst iets bekijken.’

Vast onderdeel van het stadsbezoek was dat ze een cadeau uit mochten kiezen. Emma verdacht Thomas er al een tijdje van dat dit zo’n beetje de enige reden was dat hij nog mee wilde. Hij baalde dat pap ook nog andere plannen had. Emma’s rothumeur leek besmettelijk.

Het bleef de hele dag raar weer. Te warm om een jas aan te doen, maar elk uur viel er wel een korte, heftige bui. Bovendien hadden ze de pech dat de zon scheen als ze ergens binnen zaten en dat het plensde als ze op straat liepen.

Het begon al in het park bij de kathedraal. De regen kletterde in stromen naar beneden. Schuilen onder de bomen hielp maar even. Na een paar minuten sijpelde het water door het bladerdak heen.

Pap wist een goede plek om te schuilen: het museum aan de rand van het park.

‘O nee, hè,’ kreunde Thomas. ‘Dat kennen we nou wel. Die onthoofde standbeelden, stoffige schilderijen en geëmailleerde kistjes heb ik al vijf keer gezien.’

‘Niet zo flauw doen, jongen,’ zei mam. ‘We gaan maar even. Tot het weer droog is.’

‘Dat zeg je altijd,’ mokte Thomas. ‘En dan duurt het toch weer uren. Laat ze die ouwe rommel een keer opruimen. Als ik een bord kapot laat vallen, zetten we de scherven toch ook niet terug in de kast.’

‘Je mag ook buiten op ons wachten,’ zei pap.

Dat vond Thomas ook geen goed plan. Hij besloot toch maar mee naar binnen te gaan, maar niet verder dan de eerste zaal. Daar plofte hij op een bankje, hopend snel weer naar buiten te kunnen.

Pap en Steven verdwenen in de kelders van het museum. Zij moesten weer elke potscherf van alle kanten bekijken.

Emma ging op het bankje tegenover Thomas zitten. Ze was hem dankbaar voor zijn gemekker. Hij trok alle aandacht naar zich toe en gaf haar de kans om zich onzichtbaar te maken en te herkauwen wat er die nacht gebeurd was. Tenminste, dat dacht ze.

Maar mam bleef verdacht dicht in de buurt. Alsof ze rook dat er iets niet in orde was. Ze onderzocht alle details van de schilderijen binnen het zicht van Thomas en Emma.

Telkens liep ze even langs om te vragen of het goed met hen ging. Om Thomas maakte ze zich geen zorgen; die was zijn normale, ongeduldige zelf. Maar het was duidelijk dat Emma iets dwars zat. Mam kende haar beter dan wie ook. Ze kon haar buien niet voor haar verborgen houden. Als ze ergens op zat te broeden, was mam extra waakzaam.

Emma baalde. Ze kreeg geen kans een metershoge muur om zich heen te bouwen, een schutting waar niemand doorheen mocht, maar dat was moeilijk met mam in de buurt. Ze wist dat mam net zolang zou aanhouden tot ze toegaf en het haar vertelde.

Toch hield ze haar poot stijf. Liefst had ze het uitgeschreeuwd dat mam vanochtend nog vond dat ze haar problemen zelf moest oplossen, maar dat zou de argwaan alleen maar versterken. Dus zei ze dat er niks aan de hand was; dat ze slecht geslapen had. Maar mam bleef zeuren. Daarom loog ze ten einde raad dat ze zich niet lekker voelde. Waarom ook niet? Ze was echt ziek van al dat gepieker.

Mam trapte erin. Ze ging naast haar zitten. 'Pepermuntje? Misschien helpt het.'

Gedachteloos nam ze er een aan.

'Het is droog,' zei Thomas. 'Het is mooi geweest. Ik ga Mark en Steven halen voordat ze zelf in een museumstuk veranderen.'

Wonder boven wonder lukte het hem de twee archeologen binnen een paar minuten mee de frisse lucht in te tronen. Hij dwong pap de kortste weg naar het overdekte winkelcentrum met de speelgoedwinkel te nemen. 'Vlug, voordat de volgende bui begint,' zei hij.

En omdat er inderdaad dreigende wolken boven de stad hingen, was pap het voor de afwisseling met hem eens dat ze zich moesten haasten. De eerste druppels vielen alweer toen ze door de schuifdeuren naar binnen gingen.

'Ik duik even deze winkel in,' zei mam. 'Ze hebben hier vaak leuke aanbiedingen.' Ze had geconstateerd dat Emma met de speelgoedwinkel in zicht opleefde. Nu eiste ze een momentje voor zichzelf op. 'Ga jij maar met de kids mee,' zei ze tegen pap.

Dat vond hij best. Hij had geen zin achter Eva aan door de klerenwinkel te slenteren. Bovendien meende hij dat het geen kwaad kon om een oogje in het zeil te houden.

Het speelgoed lag van de grond tot aan het metershoge plafond opgestapeld. Zo'n joekel van een speelgoedwinkel kenden ze thuis niet. En natuurlijk zat er van alles tussen wat je alleen hier kon vinden.

'Ik ben vandaag in een goede bui,' zei pap. 'Zoek maar wat kleins uit.'

Ze wisten precies waar ze hun favoriete schappen konden vinden. Thomas verdween naar de computerspelletjes en Steven naar de Playmobil.

Emma zocht de knuffels op. Elke keer weer verbaasde ze zich over de enorme keus. Het leek wel de ark van Noach, zo veel verschillende beesten! En allemaal even pluizig en zacht. Ze raakte op slag verliefd op een grijze ezel met lange oren. Hij keek zo snoezig uit zijn oogjes. Ze nam hem voorzichtig in haar armen en drukte hem tegen haar wang. 'Hé donkey, wat ben je mooi,' fluisterde ze tegen hem. 'Zou jij mijn vriendje willen zijn?' € 24,95 stond er op het prijskaartje. Pap moest wel in een heel goede bui zijn om dit 'iets kleins' te vinden.

Aan de andere kant van het schap klonk een boosaardig gebrul.

'Niet doen,' hoorde ze pap zeggen.

'Daar staat toch dat je op de knop mag drukken,' zei Thomas.

'Sinds wanneer kun jij Frans lezen?'

Nieuwsgierig liep ze naar het volgende gangpad, de ezel dicht tegen zich aan geklemd.

Thomas was al uitgekeken op de computerspelletjes. Precies dezelfde als thuis, alleen dan allemaal in het Frans. Dat was hem te moeilijk. Nu was zijn oog gevallen op een grote t-rex.

Pap liep weer door, dus drukte Thomas nog een keer de knop op de buik van de dinosaurus in. Er kwam een vreemd nepgeluid uit. Het leek meer op een scooter met astma dan op een t-rex.

Pap draaide zich geïrriteerd om. 'Hou op!' zei hij. 'Zo meteen jagen ze ons weg. Of ze dwingen ons dat stomme beest te kopen.'

'Leuk,' zei Thomas. Hij liet de dino nóg een keer brullen.

Een winkeljuffrouw kwam glimlachend langs.

Pap knikte vriendelijk terug. 'Nu ophouden!' bromde hij. 'Je lijkt net een klein kind. Vanaf nu mag je alleen nog maar met je ogen kijken. Niet met je handen!' Verstoord keek hij naar Emma. 'En wat heb jij daar?' Dat beloofde niet veel goeds.

Ze zette haar speciale jij-bent-de-liefste-papa-van-de-hele-wereld-blik op, in de hoop hem te vermurwen. 'Vind je het geen schatje?'

Vroeger kon ze hem nog wel eens verleiden met haar grote bruine ogen, maar daar trapte hij de laatste tijd niet meer zo snel in. 'Wat kost dat beest?' vroeg hij, duidelijk op zijn hoede.

'Maar 24 euro 95. Mag het, please?'

'25 euro?' Pap keek alsof hij het in Keulen hoorde donderen. 'Het geld groeit me niet op de rug! Je mag iets uitzoeken voor tien euro.'

Ze wist hoe streng pap kon zijn. Bij hem was nee nee. Tranen prikten in haar ogen. De hele dag voelde ze zich al beroerd, en het was net of die ezel haar kon troosten. Maar als het aan pap lag, mocht hij dat alleen aan de verkeerde kant van de kassa.

Pap opende zijn mond. Vast en zeker om haar te bezweren geen theater te maken. Maar hij kreeg geen kans.

'Kijk eens wat ik heb gevonden,' zei mam. 'Het was écht een koopje. Moet je zien wat een prachtig jurkje, voor maar 75 euro. Afgeprijsd van 130. Vind je het geen plaatje?'

Emma greep haar kans. 'O, wat mooi, mam,' zei ze. 'Zo vrolijk en zo lekker zacht. Bijna net zo zacht als mijn ezel. Voel maar.'

'Wat een liefje.' Mam aaide de ezel over zijn kop.

'Mag ik hem hebben, mam? Hij kost nog geen 25 euro.'

Paps mond viel open van verbazing. 'Wat heb ik nou net gezegd?'

'Mams jurk is veel duurder dan mijn ezel!'

'Kom nou, Mark, we gaan niet de hele vakantie centen tellen. Laat ze toch wat leuks uitkiezen.'

Daarmee was de zaak beslist. Mokkend trok pap zijn portemonnee voor de ezel, een grote doos Playmobil voor Steven en Thomas' brullende t-rex.

'Maar waag het niet om op straat op die knop te duwen,' waarschuwde pap. 'Je jaagt iedereen de stuipen op het lijf.'

De zon zakte al achter de heuvels toen ze naar huis reden. Emma was totaal uitgeput van het slenteren en de worsteling in haar hoofd. Ze ging meteen naar boven en plofte op haar bed. Te moe om zich uit te kleden. Te moe om zich druk te maken of ze die nacht weer bezoek zou krijgen.

Daar hoefde ze trouwens niet lang op te wachten. Een akelig gebrul vulde de slaapkamer. Haar hart sloeg over. Ze legde de armen beschermend voor haar ogen. Maar in een glimp herkende ze Thomas' piekharen in het licht van zijn zaklamp. Hij hield de lamp onder zijn kin, zodat er een enge oranjegele gloed en donkere schaduwen over zijn gezicht vielen.

'Rot op, flauwe vent,' riep ze en ze draaide zich om.

Thomas probeerde zijn show nog wat op te rekken met een oerwoudkreet: 'Hoeoeoe, ik ben de grote boze weerwolf. Ik kom je pakken!'

Maar ze reageerde niet meer. Ook niet toen hij nog een keer de t-rex liet brullen. Gewoon geen aandacht aan schenken, wist ze. Dan houdt hij vanzelf op.

Gniffelend sloop Thomas terug naar zijn eigen kamer.

Die idiote broer had haar klaarwakker gemaakt. Juist in het pikkedonker lieten alle geluiden in en om het huis zich goed onderscheiden. De gedempte stemmen van pap en mam in de woonkamer. De radio zacht op de achtergrond. Krekels rond het huis. Een uil in de verte. Een piepend luik op zolder. Alle ingrediënten voor een griezelverhaal waren aanwezig. Het enige dat ontbrak, was de vampier of het spook.

Haar ogen priemden in het duister, naar de hoek waar de blauwe geest afgelopen nacht verschenen was. Zou ze weer terugkomen? Ze besloot wakker te blijven, desnoods de hele nacht. Als dat spook het huis onveilig maakte, zou ze het de volgende ochtend zeker weten.

Maar de slaap was sterker dan haar wil.

7

Emma ontwaakte door een zachte kus op haar wang. Haartjes kriebelden in haar gezicht. Mam stond glimlachend over haar heen gebogen.

'Goeiemorgen zeg, wat kun jij slapen! Weet je wel hoe laat het is?'

Het kon haar niets schelen. Er viel een zware last van haar af. Thomas was die nacht de enige ongewenste bezoeker geweest. 'Zie je wel,' zei een stemmetje in haar hoofd, 'het was gewoon een droom. Spoken bestaan niet!'

Ze rekte zich uit en gaapte. 'Ook goeiemorgen,' zei ze met een lach.

'Kom je naar beneden?' vroeg mam, terwijl ze Emma's piekharen plat streek. 'Er liggen verse croissantjes op tafel. Kleed je maar vlug aan.'

In een oogwenk stond ze op haar benen. Door het gordijn piepte de zon. Joepie, dacht ze. Eerst een lekker ontbijt en dan op naar een dag zonder zorgen.

De pruimenoogst was uitzonderlijk groot dit jaar. Zakken en emmers vol werden verzameld, gegeten, tot moes gekookt, in pruimentaarten verwerkt. Pap had er zijn buik inmiddels letterlijk en figuurlijk vol van, maar de rest van de familie kreeg er geen genoeg van. Jamfabriek De Leeuw werkte op volle kracht.

Het was een van de schaarse bewolkte ochtenden. De wespen namen een snipperdag in hun nesten. Een uitgelezen kans om zonder gevaar pruimen te plukken.

Emma nam het voortouw. 'Als jullie plukken, brengen mam en ik de keuken in orde.' Ze putte de broodnodige afleiding uit de handenarbeid. Mam waste lege potten schoon en zij droogde ze af. Ze zetten de geleisuiker en pannen klaar. Even later brachten de jongens met veel kabaal hun volle emmers naar binnen.

'Alsjeblieft,' zei Steven. 'Die boom achter het huis is nu wel leeg.'

'Dankjewel,' zei mam. 'Nou ben ik benieuwd of de wespen ons voortaan met rust laten bij het avondeten.'

'Misschien komen ze juist op ons eten af, nu er geen pruimen meer te vinden zijn,' meende Thomas.

'O jee.' Mam deed of ze schrok. 'Breng die pruimen dan maar vlug weer terug.'

'Echt niet!' riep Steven verontwaardigd. 'Weet je wel hoe lang we hebben geraapt en geplukt?'

'Da's ook weer waar,' zei mam. 'Vooruit Mark, maak eens plaats, we moeten aan de slag.'

Pap bestudeerde zijn oude papieren aan de keukentafel. Hij vertaalde de brieven die aan de vroegere bewoners gestuurd waren en sindsdien in het huis waren blijven liggen. Letter voor letter zat hij te ploeteren. Het handschrift van de mensen uit negentienhonderdzoveel was moeilijk te ontcijferen en paps Frans was niet perfect, maar hij beet zich er ijverig in vast. Om de paar woorden bladerde hij in zijn woordenboek. Hij had het plan opgevat een boek over zijn schatten te schrijven. 'Jullie zullen ooit net zoveel plezier aan die brieven beleven als ik,' had hij de vorige avond beloofd, maar dat maakte op niemand indruk.

Verstoord keek hij nu op. Hij liet zich niet wegsturen, want het was veel te gezellig in de keuken. Dus ordende hij de brieven en stopte ze terug in zijn map, op de ene waar hij aan zat te werken na. Een klein hoekje van de tafel volstond.

'Hé, waar gaan jullie heen?' vroeg mam streng.

'Eh... naar Georges,' zei Thomas.

'Had je gedacht! Je kunt me niet met zo'n berg fruit laten zitten. Pak een mes en help ze schoonmaken. You too, Georges. Come help unstone the plums.'

Dat was het minst leuke karweitje van de jamfabriek. Het ontpitten van de pruimen was een kliederklus, waar ze verschrikkelijke plakhanden van kregen. Het ergste waren de pruimen die door de wormen werden bewoond. Emma gruwelde van die kleine witte wriemelbeestjes op haar vingers.

Pap grinnikte.

'Hebben wij iets leuks gemist?' vroeg mam.

'Dit is best een grappige brief,' zei hij. 'Jules Lefort stuurde hem aan zijn vrouw Pauline vanuit Vichy, een kuuroord een paar honderd kilometer verderop. Wil je horen wat hij schrijft?'

Hij wachtte het antwoord niet af en las voor:

Mijn waarde echtgenote,
Ik ben goed aangekomen in Vichy, maar het was wel regenachtig. De afgelopen twee dagen hadden we slecht weer. Onweer en regen. Dat is niet goed voor mijn gezondheid. Gelukkig gaat het vandaag wat beter.
Vichy puilt uit van de mensen. De pensions zitten bijna allemaal vol, maar ik heb een plekje gevonden op mijn oude adres. Ik heb de familie Molabres uit Paulhac gezien, en ook Jeannot de la Croix en zijn vrouw.

Kun je me schrijven of er al besloten is het graan te dorsen? Als ze gaan dorsen, wil je dan Elie vragen de rode tarwe en de rogge ook te doen? Zorg goed voor het huis en de beesten.
Verder heb ik je op dit moment niets te zeggen.
Ik doe jou en onze kinderen de groeten.
Je man, J. Lefort

Triomfantelijk keek pap op. 'Geweldig hè, hoe zo'n man op zijn luie krent in een bubbelbad ligt, terwijl zijn vrouw het huishouden en de boerderij draaiende houdt.'

'Ja, geweldig,' zei mam droog. 'Er is de afgelopen honderd jaar niks veranderd. De vrouwen doen het werk en de mannen laten zich verwennen.'

Pap keek haar verstoord aan.

Net als Steven trouwens. 'Hé, kijk eens hier! Drie werkende mannen in de keuken.'

'Het werd tijd,' zei mam. 'Thomas, breng jij de pitten naar de composthoop?'

'Hoezo emancipatie?' protesteerde Thomas. 'Dit is pure slavernij.' Maar hij greep toch dankbaar zijn kans om met Georges naar buiten te vluchten.

De emmers waren leeg en de twee grote pannen gevuld. Mam kiepte er een paar kilo geleisuiker bij en zette de pannen op het fornuis.

Om de beurt roerden Steven en Emma in de pan, tot het één dampende brij was.

'Hier heb ik nog een rare brief van 22 juni 1933,' zei pap. Hij liet zich niet door mams stekelige opmerkingen uit het veld slaan. 'Deze is gericht aan Albert, de zoon van Jules en Pauline. Hoor eens wat zijn meester schreef:

Beste vriend,
Ik heb net je brief ontvangen waarin je me schrijft dat je een besmettelijke ziekte hebt. Dat je al je speelgoed moest laten verbranden, en je plaatjesboek waar je zo van hield. En dat je niet naar school mocht. Ik schrijf je om je een beetje op te vrolijken.
Je ziekte is zo ernstig dat ze zo streng moesten handelen, voor je eigen bestwil en voor die van de anderen. Het is maar goed dat je moeder je kleren en andere spullen heeft vernietigd, anders zou je je klasgenoten misschien ook hebben besmet. Dan zou je daar ontzettend veel spijt van hebben gekregen en was je ontroostbaar geweest. Bovendien, als ze niet al je eigendommen hadden verbrand, dan zouden de bacteriën je opnieuw ziek kunnen maken, maar dan veel erger dan de eerste keer. Dat zou je dood kunnen betekenen.
Je moet goed de raad van de dokter en van je ouders opvolgen, want zij hebben alleen maar het beste met je voor. Dan zul je snel weer naar school kunnen en dan moet je hard werken. Je klasgenoten hebben weer erg veel nieuwe dingen geleerd. Je moet je best doen om de verloren tijd in te halen.
Ik wens je veel moed en geduld toe, en schud je hartelijk de hand,
A. Pascaud

Pap keek verwachtingsvol op. 'Nou, wat zeg je daarvan? Zou Albert daar vrolijk van zijn geworden?'

'Zo te horen waren al die Leforts maar kneusjes,' zei mam. 'De een zit in een kuuroord en de ander loopt enge ziektes op. Ik hoop niet dat er hier iets ongezonds in de lucht hangt.'

'Misschien komt het wel door het uranium,' meende pap.

'Wat is dat?' vroeg Steven.

'Uranium is een radioactief metaal,' zei pap.

'Daar maken ze atoombommen van,' wist Emma.

'Dat klopt,' zei pap, 'maar ze gebruiken het ook voor kern-energie.'

'Ik snap het niet,' zei Steven. 'Metaal is toch heel zwaar? Dat hangt toch niet zomaar in de lucht?'

'Uranium is zelfs een heel zwaar metaal,' legde pap uit. 'Dat hangt niet in de lucht, maar de radioactieve straling die er vanaf komt wel. En die is erg ongezond.'

'Wat heeft dat met ons te maken?'

'In de heuvels bij Razès en Bessines zit uranium. Hier in de buurt waren veel uraniummijnen, maar die zijn al jaren geleden gesloten.'

Emma was er niet gerust op. Ze dacht juist dat de lucht en grond van het platteland in Frankrijk heel gezond waren. En nu bleken ze boven op dat enge uranium te zitten.

Steven vertrouwde het net zomin als zijn zus. 'Dan is die actiestraling toch ook allang verdwenen?' vroeg hij.

'Maak je geen zorgen,' zei pap. 'Ik las laatst nog ergens dat de straling hier niet hoger is dan normaal.'

Een zoete geur dreef door de keuken. De pruimenjam was klaar. Mam schepte hem over in de schone potten.

Steven was nog niet overtuigd. Hij wilde de dingen altijd zo precies weten dat hij maar door bleef vragen. Normaal vond Emma dat irritant, maar in dit geval was ze er blij mee. Zij wilde nu ook weten hoe het zat.

'Mam zei dat de lucht hier ongezond is,' zei Steven.

'Dat was maar een grapje,' stelde mam hem gerust. 'Het is hier hartstikke gezond. Als we over een paar weken thuis zijn, mag je je weer zorgen maken over de vervuilde Nederlandse lucht. Ga maar gauw buiten spelen.'

Dat hoefde ze geen twee keer te zeggen. Steven en Emma hadden genoeg gehoord over nare ziektes en enge stralingen. Ze waren voor hun plezier op vakantie. Dus sloten ze zich vlug aan bij het badminton van Thomas en Georges.

8

Dankzij de nieuwe vriendschap met Georges werd het verblijf in Beaumont meer dan ooit de hemel op aarde. De dagen vulden zich met telkens weer nieuwe uitdagingen. Liefst buiten, maar als ze een keer door een zomerbuitje overvallen werden, vluchtten ze naar Georges' huis. Het stonk er naar kattenpis, de keuken zag zwart van de vliegen en door de kleine raampjes was het altijd schemerig, maar daar trokken de kinderen zich niets van aan. Bij Georges vonden ze vertier dat ze in hun eigen huis niet hadden. De jongens kropen achter de Playstation of de computer. Met de nieuwste race- en schietspellen waren ze uren zoet met zijn drieën.

Emma hoefde niet zo nodig, maar gelukkig viel er veel meer te beleven bij de buren. Ze had al snel Lili's favoriete plekje op de doorgezakte bank ontdekt. Als ze naast haar ging zitten, lag de kat binnen een paar tellen bij haar op schoot. Samen keken ze tv. Precies dezelfde tekenfilms als thuis. Alle series die ze al vier keer gezien had. Ze vond het leuk om die programma's nu in een vreemde taal te bekijken. Na een paar dagen begreep ze soms zelfs al wat de Simpsons tegen elkaar brabbelden. Zolang dat niet ging over spoken of nachtmerries, vond ze het best. Ze had al meer dan een week geen last meer van geesten en verschijningen. Ze was er inmiddels van overtuigd dat ze het echt allemaal gedroomd of verzonnen had en dacht er amper meer aan. Tot die nacht, ergens halverwege de vakantie.

Het was stil in het dorp. Stil en donker, zoals het alleen in Beaumont kon zijn. Ze kwamen pas in de schemering thuis van een gezellige maar vermoeiende dag. Ze waren naar een kasteel geweest waar de een of andere koning Richard Leeuwenhart doodgeschoten was; voor Emma gewoon het zoveelste kasteel in de streek, maar volgens pap was dit 'een plek waar de geschiedenis van Europa op zijn kop gezet werd.'

Uitgeput zochten ze hun bed op. Het duurde niet lang voordat iedereen in een diepe slaap gevallen was; iedereen behalve Emma. Zonder aanleiding spookte de schim opeens weer door haar hoofd. Ze was klaar- en klaarwakker. Ze probeerde haar gedachten een andere kant op te sturen. Eerst naar het kasteel van die vermoorde koning, maar dat hielp niets. Ze had niet zoveel op met al die ruïnes. Vervolgens haalde ze zich het restaurant waar ze hadden gegeten weer voor de geest. Dat was lachen geweest! Steven had garnalen besteld. Hij dacht dat hij van die kleine Hollandse hapjes kreeg, maar dit waren enorme joekels, met zijn vijven aan een spies geprikt. Hun kop en staart zaten er nog aan. Ze keken hem met hun zwarte kraaloogjes verdrietig aan, alsof het zijn schuld was dat ze daar nu morsdood op zijn bord lagen. Dat was natuurlijk ook zo, maar in plaats van zielig voor de garnalen vond ze het vooral komisch vanwege de uitdrukking op Stevens gezicht. Hij zag eruit of hij net gehoord had dat ze hém aan een spies zouden rijgen. Lijkbleek, de tranen in zijn ogen. Hij had wel vaker spijt van de keuzes die hij maakte. Ook deze keer verlosten pap en mam hem uit zijn lijden. Zij aten zijn garnalen en hij kreeg van elk van hen een stuk vlees. Emma en Thomas mochten hun broer niet uitlachen. Dat deed ze nu – stiekem in het donker – alsnog. Maar lang duurde het niet. De herinnering aan Stevens garnalen kon de gedachtekronkels in haar hoofd niet verdringen.

Pas toen ze aan Lili de poes en haar baasje Georges dacht, lukte het eindelijk. Het was niet alleen heel grappig om te spelen met iemand die een andere taal spreekt, maar ook erg vermoeiend. Emma's hoofd begon te tollen van de Engelse en Franse woorden. En in die draaikolk viel ze in slaap.

In haar droom ging het praten met Georges een stuk makkelijker. De Engelse zinnen rolden moeiteloos uit Emma's mond. 'Do you know the blue ghost?'

Georges haalde zijn schouders op. Hij begreep het niet.

'Look, there she is.' De blauwe vrouw stond achter Georges.

Hij draaide zich om. 'Where?'

'There!' Zag Georges haar echt niet? Ze ging rechtop in bed zitten, om de schim beter aan te kunnen wijzen.

Georges verdween plotseling, maar de schim bleef. Ze zweefde roerloos boven de vloer. Het leek of de wind met haar jurk speelde. Dezelfde droevige blik als de vorige keer op Emma gericht.

'Wie ben je?' vroeg Emma. 'Wat wil je?' Ze schrok van haar eigen vragen. Wilde ze de antwoorden eigenlijk wel weten?

De vrouw sloeg de ogen neer. Een pluk haar viel voor het gezicht. Ze wiegde heen en weer op wat haar ademhaling leek. Ademde de geest?

Emma voelde een kille windvlaag. Ze kreeg er de bibbers van. Pap en mam hadden een spookhuis gekocht! Er woonde een enge vrouw, die haar lastig viel. Ze kroop diep onder het laken en riep: 'Ga weg. Ik wil je niet zien!'

Door het laken heen zag ze het blauwe licht even opvlammen. Toen loste het langzaam op in het donker.

Emma's hart klopte in haar keel. Na een tijdje durfde ze weer boven het laken te kijken. Het was pikdonker in de kamer. Geen spook, geen wind. Alleen het zachte geronk van

Thomas in de kamer naast de hare. Even dacht ze erover hem wakker te maken, maar dat had geen enkele zin. Er was niets te zien. Thomas zou haar vast en zeker uitlachen als ze hem over de geest vertelde.

En toch was ze hier, in haar kamer. Of verbeeldde ze het zich maar? De twijfels grepen haar weer in alle hevigheid bij de keel. Eerst was Georges erbij, maar die was opeens verdwenen. Dat moest ze hebben gedroomd. Maar de verschijning daarna was weer zo levensecht… Ze zag die blauwe schim nu voor de tweede keer en wist het beeld niet uit haar gedachten te zetten. Opnieuw verstopte ze zich onder het laken. Daar was het veilig. Hoopte ze. Maar intussen stormde het door in haar hoofd, en dat hield voorlopig niet meer op.

9

Wonder boven wonder was Emma de volgende ochtend niet zo uit het veld geslagen als na de vorige verschijning. Het gezonde verstand won het opnieuw van de twijfel. Wat ze 's nachts zag had geen enkele invloed op wat er overdag gebeurde. Het was haar de afgelopen tijd gelukt om de herinnering aan de blauwe geest van zich af te schudden door aan leuke dingen te denken en leuke dingen te doen. Ze was ervan overtuigd dat haar dat ook nu weer zou lukken. Ze was toch niet gek! Dus zette ze alles op alles om zich te vermaken.

Met Georges erbij was dat niet zo moeilijk.

'I have a plan,' zei hij. 'It's a good idea.'

'Tell up,' zei Thomas.

'We go swim and fish in the rivière.'

Dat klonk hun als muziek in de oren: lekker afkoelen in het water. De rivier lag in de vallei, tien minuten lopen van Beaumont.

Emma had haar bedenkingen. 'Mag dat wel?'

'Van wie?' vroeg Thomas stoer.

'Mam wil niet dat we in de rivier zwemmen.'

Mam vond het te gevaarlijk in de rivier, omdat het water te hard stroomde en er onberekenbare draaikolken in konden zitten. Pootjebaden, dat mocht nog net.

Thomas reageerde luchtig. 'Ach, mam is een angsthaas. Net als jij, trouwens. Ze moest eens weten wat ik achter haar rug om doe! Die twee liggen trouwens weer te maffen, dus we kunnen niet vragen of het mag.'

Pap en mam hadden inderdaad hun bed opgezocht. Ze zeiden dat ze doodmoe waren van de hitte, maar volgens Thomas gingen ze veel te vaak midden in de nacht naar bed.

Emma aarzelde nog steeds. 'Ik weet het niet... Wat doe jij?' vroeg ze aan Steven.

Die zuchtte. 'Ik weet niet,' zei hij aarzelend. 'Wat als pap en mam erachter komen?'

'Watjes!' spotte Thomas. 'Blijven jullie maar thuis. Ik ga. Georges zegt dat het oké is, dus wat kan er misgaan?'

'Weet je wat? Ik ga het wel vragen,' stelde Emma voor. Ze zette voor één keer haar angsten opzij.

Thomas schudde zijn hoofd. 'Dan weet je het antwoord toch al, spelbreker!'

'Wacht maar,' zei Emma geheimzinnig. 'Pak maar vast je zwembroek.'

Zachtjes klopte ze op de slaapkamerdeur van haar ouders. De deur kraakte licht bij het openen. Pap lag zwaar te ronken.

'Pap, mam, mogen we met Georges mee?'

Mam draaide zich om en mompelde iets onverstaanbaars.

Emma sloot de deur weer. 'Wie zwijgt stemt toe,' mompelde ze tevreden.

Nu kon Steven natuurlijk niet achterblijven. Ze trokken hun zwemspullen aan en haalden bij Georges een visnet en een emmer. Georges vertelde aan één stuk door over zijn ervaringen als visser, maar in zijn enthousiasme gebruikte hij zo veel Franse woorden dat ze er geen snars van begrepen.

Op de T-splitsing onder aan de weg sloegen ze rechtsaf, het zandpad op, langs het oude huis met de ommuurde binnenplaats. Elke keer als ze erlangs wandelden, kreeg Emma de kriebels. Klimop groeide over het dak en de luiken hingen scheef. Zo stonden er meer bouwvallige, lege huizen in de streek. Maar dit huis was niet leeg. Het werd bewoond, al had ze er nog nooit iemand gezien. De ene keer waren de poort en de voordeur wagenwijd open, en de volgende keer zat alles potdicht. Meestal lag een zwarte kat te zonnen op de muur. Onder het afdak naast de schuur hingen altijd kruiden te drogen. Maar het vreemdst van al was de tuin aan de overkant van het pad. Zo vervallen als het huis was, zo keurig lag de tuin erbij: het gazon was strak gemaaid, de perkjes met bloemen en kruiden waren goed onderhouden en midden in de tuin stond een levensgroot beeld van een kabouter. Niet zo'n gezellige tuinkabouter die in het gras stond te vissen, zoals bij opa en oma. Nee, eentje met een grimmige kop, die rechtstreeks uit een eng sprookje leek te zijn gestapt. Elke keer nam ze zich voor niet te kijken, maar dat lukte nooit; het was alsof de kabouter haar met zijn blik betoverde.

Maar nu zag ze de kabouter niet. Een vrouw met grijze haren stond voor het beeld. Ze neuriede wat voor zich uit, terwijl ze de kabouter schoonpoetste.

Emma verstarde. Hoewel de vrouw met de rug naar haar toe rustig doorwerkte, voelde het alsof ze duistere boodschappen naar haar uitstraalde. Ze probeerde zo snel en stil mogelijk door te lopen, bang om de aandacht van de vrouw te trekken. Maar Thomas gooide roet in het eten.

'Who is that?' vroeg hij hardop aan Georges.

Gelukkig reageerde het mens niet. Zou ze doof zijn?

'Her name is Sybille,' vertelde Georges. 'She is a bit excentrique. Bizarre. Comment dire?'

'Wat zegt hij?'

'Dat weet ik ook niet precies,' antwoordde Thomas. 'Ze heet Sybille. Volgens mij is ze een beetje kierewiet. '

Op dat moment draaide de oude vrouw zich om en keek Emma recht in de ogen.

Emma's nekharen schoten overeind. De vrouw zag er echt als een heks uit, met haar lange zwarte jurk en haar grote, rimpelige neus. Ze had zelfs een donzige baard. Vlug wendde Emma haar blik af en holde achter de jongens aan. Ze had al genoeg enge figuren gezien.

Bij een weiland tussen de bosjes kropen ze onder de schrikdraad door. Georges voorop. Gelukkig stonden er geen koeien in de wei. De enige beesten die zich lieten horen, waren zingende krekels. Ze sprongen met hele zangkoren voor hen uit.

De rivier kabbelde langs het weiland. Het was een beek van nog geen tien meter breed. Op de plek die Georges had uitgekozen, stroomde hij niet zo wild, maar in de bocht verderop klaterde hij een halve meter naar beneden. Emma keek nu met andere ogen naar de rots boven de stroomversnelling. Daar was het kasteelmeisje uit paps verhaal in het water gevallen en verdronken.

Thomas stapte van het weiland op het strand. Tenminste, dat dacht hij. Wat een smal strandje leek, bleek een drabbige blubber te zijn. Hij zakte er tot zijn enkels in.

'Kom erbij, jongens, het modderbad is gratis!' Slurpend kwam zijn ene voet weer tevoorschijn. Hij deed zijn sandaal uit en spoelde hem schoon, voor zover het troebele water iets schoon kon maken.

'How deep is it?' vroeg Steven. Hij vertrouwde het nog niet helemaal en keek net als Emma nog even de kat uit de boom.

Georges wees tot aan zijn borst. Hij stak zijn visnet in het water en sleepte het achter zich aan, richting stroomversnelling. Zijn voeten glipten steeds weg in de klei.

Net voor de bocht stak een kleine steiger het water in. Een oude roeiboot lag met een touw vast aan een paal.

Georges klom op de steiger. Hij deed bloes en gympen uit en dook het water in. 'Ah, c'est froid! It's cold!' riep hij toen hij weer bovenkwam.

Thomas wilde Georges laten zien dat hij een stoere bink was, en sprong hem wild brullend achterna.

Emma lachte in haar vuistje. Dag vissen. Jullie hoeven vanavond niet op de barbecue, dacht ze. Daar had zij geen moeite mee. Ze vond het maar zielig, zo'n beest dat nog bijna gaaf was als het op je bord lag. Net als Stevens garnalen. Ze at liever vissticks. Daar kon je tenminste niet meer aan zien dat ze ooit geleefd hadden.

Steven en Emma voelden zich niet op hun gemak. Was mam een echte angsthaas, of school er een bron van waarheid achter haar waarschuwingen? Aan Georges en Thomas te zien niet. Zonder problemen zwommen ze tegen de stroming in.

'Look,' riep Thomas, 'I can stand here.' Hij zwaaide met zijn armen in de lucht. Het water reikte tot aan zijn oksels.

Steven pakte het schepnet en begon te vissen; niet verder dan tot zijn enkels in de rivier.

Emma trok haar kleren uit en ging in badpak op de rand van de steiger zitten. Haar voeten poedelden in de rivier. De kou trok langs haar ruggengraat omhoog. Dit was niets voor een koukleum als zij. Ze sloot haar ogen en droomde weg bij het kabbelen van het water. Ze meende zelfs het lied van een nachtegaal te horen.

Na een tijdje werd het verdacht stil. Thomas en Georges proestten en spetterden niet meer. Verontrust tuurde Emma over het wateroppervlak. Daar was geen spoor van Thomas of Georges.

'Now!' gilde Thomas. Hij stond achter de nietsvermoedende Steven, greep zijn broer beet en sleurde hem het water in.

Op datzelfde moment werd Emma van achteren in een ijskoude, natte houdgreep genomen. Georges riep triomfantelijk 'Allez les Bleus!' en trok haar van de steiger. Net iets langer dan nodig was om de grap compleet te maken, hield hij haar onder water.

Proestend als een walvis kwam ze weer boven. Ze deelde een paar stevige beuken aan Georges uit. 'Rotjong!' gilde ze.

Eenmaal door- en doornat viel de kou wel mee. Steven en Emma zetten de aanval op de andere twee in. Het werd een wild watergevecht. Ze maakten zo veel kabaal dat ze het geblaf en de boze stem niet hoorden.

Georges was de eerste die iets in de gaten kreeg. 'O, o,' zei hij, terwijl hij de strijd staakte.

Verbaasd volgde de rest zijn blik. Boven aan de weg stond meneer Argentin te schreeuwen. Rambo blafte met hem mee.

Het zag er grappig uit, die kwaaie meneer Argentin met zijn dikke blote buik, zijn broek die door bretels hooggehouden werd en het brommertje naast hem. Daar reed hij elke dag mee van Beaumont naar de winkel, zeven kilometer verderop. Pap maakte er vaak grappen over. 'Arme brommer,' zei hij dan. 'Eerst het gewicht van Argentin moeten dragen, en dan ook nog eens al die boodschappen erbij!'

Maar het lachen verging hun snel toen de kasteelheer woest gebarend door de wei naar beneden kwam.

Georges krabbelde het water uit en graaide zijn spullen bij elkaar. 'Come with me!' riep hij, terwijl hij naar de stroomversnelling rende.

Steven stond aan de grond genageld. Emma greep hem bij zijn arm. 'Pak je kleren en wegwezen! De buurman is boos.'

'Waarom dan?' wilde Steven nog weten. Alsof dat iets uitmaakte!

De waterval sneed door een flinke rotspartij. Thomas en Georges zaten er al bovenop toen Emma en Steven aankwamen.

'Schiet op,' hijgde Thomas. 'Die dikkerd kan niet klimmen. Hierboven in het bos zijn we veilig.'

Hij had een vreemd idee van wat veilig was! Dwars door brandnetels en braamstruiken bereikten ze de straat. Hun benen zaten vol striemen. Steven klemde het schepnet nog onder zijn arm, maar het ding was niks meer waard. Er zaten zulke grote gaten in de mazen dat een hele school vissen er met gemak doorheen kon.

Ze namen een omweg naar huis, voor het geval Argentin hen ergens opwachtte. Georges leidde het gezelschap over paadjes en door weilanden waar ze nog nooit waren geweest. Achter elke wei volgde weer een nieuwe wei. Er kwam geen eind aan de prikkeldraden waar ze onderdoor moesten kruipen. Elke keer plat op de buik, bang voor een stroomschok. Vorig jaar pakte Steven nietsvermoedend zo'n draad vast. Hij vloog een meter de lucht in, zo schrok hij van de klap. Ze waren dus gewaarschuwd!

Ze moesten over een smal beekje, nog geen halve meter breed, maar rond de stroom was het drassig. Eén zompige modderpoel, met hier en daar een pol gras. De koeien hadden er pas nog gegraasd. Je kon precies zien waar ze gelopen en gescheten hadden. Georges liet zien hoe je over de graspollen moest lopen om droge voeten te houden.

Maar Steven gleed uit. Hij zakte tot aan zijn kuit in de modder. In paniek rukte hij zich los, bang om in de blubber te verdwijnen. Zijn sandaal bleef achter in de drab. Tranen schoten in zijn ogen. 'Ik ga niet naar huis zonder mijn schoen,' snikte hij. 'Pap vermoordt me!'

Emma kreeg medelijden met haar broertje. 'Kom Thomas, hij heeft gelijk. We moeten het niet erger maken dan het al is.'

Emma en Thomas gingen plat op hun buik liggen en groeven net zolang in de modder tot de sandaal weer tevoorschijn kwam.

Georges stond er lachend bij. 'Look at you,' zei hij. 'You must go back to the river and wash yourself.'

'I never go back there,' mopperde Emma.

Wat begon als een mooi avontuur, eindigde in een akelige smeerboel. Moe en vuil tot achter hun oren kwamen ze thuis. En alsof het nog niet genoeg was, stonden pap en mam hen met de armen over elkaar op te wachten, hun gezicht op onweer. 'Waar komen jullie vandaan?'

Wat konden ze daarop zeggen? Niks dus.

Pap raasde verder. 'Sinds wanneer gaan jullie zonder toestemming van huis?'

'Emma heeft gevraagd of het mocht,' zei Thomas.

'Wát zeg je?'

'Ik vroeg het toen jullie in bed lagen,' zei Emma met een piepklein stemmetje. 'Mam zei dat het goed was.'

Pap kneep zijn ogen tot spleetjes, alsof hij zo beter kon zien of ze loog.

'We zijn alleen maar naar de rivier geweest,' probeerde Steven nog. Maar hij had net zo goed zijn mond kunnen houden.

'Alleen maar naar de rivier? Moet je zien hoe je erbij loopt: onder de krassen en de vuiligheid. Ga je verschonen! En daarna kom je de tuin niet meer uit!'

Ze liepen vlug naar binnen.

'Ouwe zeur,' mompelde Thomas.

Net hard genoeg, zodat pap het hoorde. 'Hou die brutale praat maar voor je.'

Niet slim van hem om pap uit te dagen nu die op ontploffen stond.

Helemaal schoongeboend zaten ze even later te mokken in de schaduw van de grote boom. De tuin waarin ze anders zo veel plezier hadden, leek nu een gevangenis.

Thomas takelde de emmer in de waterput omhoog en liet de slinger los. Met wild geraas ratelde de ketting over de katrol. Plons. De emmer knalde zeven meter lager in het water. Pap had streng verboden met de put te spelen. Het dakje en de katrol waren behoorlijk gammel. Pap was bang dat ze het een keer zouden begeven, maar hij had geen zin in een dure reparatie.

Dat kon Thomas even niets schelen. Voor zijn part stortte de put in. 'Georges is naar huis gevlucht,' zei hij. 'Wij mogen niet naar hem toe, maar hij kan wel hierheen komen.' Hij liep naar de scheidingsmuur. 'Pssst, Georges.'

Georges' hoofd schoot meteen tevoorschijn. 'Hello. Your father and mother are angry?'

'It goes,' zei Thomas. 'You come to us?'

Dat hoefde hij maar één keer te vragen. Georges kroop over de muur, die de afgelopen weken stukje bij beetje verder was afgebrokkeld.

'I hate monsieur Argentin,' zei Georges. 'I want to...' Hij kon niet op het juiste woord komen. Zijn handen grepen naar een denkbeeldige keel. 'Everybody hates him.'

'I too,' zei Thomas.

'We think of a plan,' zei Georges.

'Oui.'

'Waar hebben jullie het over?' vroeg Steven.

'We willen de boze buurman een lesje leren,' legde Thomas uit.

Ze waren het er snel over eens dat die rotzak het verdiende, maar niemand kon iets bedenken.

Het bleef lang stil, tot Georges plotseling riep: 'I know!'

Ze konden zijn rappe verhaal nauwelijks volgen. Het was iets met de visvijver van meneer Argentin. Dat was de trots van de buurman. Een paar keer per jaar nodigde hij chique mensen uit Parijs uit om een weekend bij hem te logeren. Dan aten ze vis uit de vijver achter het kasteel. Die gasten kwamen enkel voor de vis en het kasteel, niet omdat ze Argentin zo aardig vonden. Toch maakte hij er goede sier mee. Hij deed alsof hij de president van Frankrijk op bezoek kreeg. Zijn buik en bretels verstopte hij in die weekenden onder een mooi, gestreept jasje. Het waren de enige dagen dat hij iedereen in het dorp vriendelijk groette. Zo meende hij indruk te maken op de mensen uit Parijs én op de mensen uit Beaumont.

Georges wilde op de avond voor het feest alle vissen uit de vijver halen en in de rivier gooien.

'Lukt nooit,' meende Thomas. 'I have a better plan. We put an aardapple in the knalpipe of his brommer.'

Emma snapte er niks van. 'Een aardappel in de knalpijp van zijn brommer?'

'Ja, als hij wegrijdt, ploft zijn knalpijp uit elkaar.'

Het kostte moeite om Thomas' plan uit te leggen aan Georges.

Hoe meer die ervan begreep, hoe somberder hij keek. 'It's not a good plan,' zei hij hoofdschuddend. Meneer Argentin zou meteen in de gaten hebben wie de daders waren. Zeker na deze middag. Ze moesten iets bedenken waar ze zichzelf niet mee verraadden.

'Ik heb het!' riep Thomas. 'We lokken Rambo de grote schuur in. Dan kunnen we met hem spelen, terwijl Argentin loopt te zoeken.'

'Slecht plan,' vond Steven. 'Rambo zal hem horen roepen en gaan blaffen. Dan zijn we er helemaal gloeiend bij.'

Daar was Emma het roerend mee eens. 'Bovendien krijgt Rambo op zijn kop als hij niet onmiddellijk komt,' vulde ze aan. 'Je kunt die hond niet straffen voor de streken van zijn baas. Zeker zo'n lieve hond niet.'

'Je weet toch dat pap altijd moppert over hondenpoep?' vroeg Steven triomfantelijk. Dat leek een belachelijke opmerking, maar toen hij zijn plan uitlegde, waren ze het direct met elkaar eens: dát gingen ze doen! Elke dag de verse drollen van Rambo op een schop laden en dan recht voor de poort van het kasteel neerleggen. Argentin zou er zijn hond niet de schuld van kunnen geven, want die liep de hele dag los rond en mocht overal schijten.

De boosheid van pap en mam zakte gelukkig al snel. Tijdens het eten moesten de kinderen wel opbiechten wat ze bij de rivier te zoeken hadden. Volgens afspraak biechtten ze alles eerlijk op, behalve dat ze gezwommen hadden. Vissen vanaf de steiger en zonnen in de wei konden geen doodzonden zijn.

Pap vond de vlucht door de wildernis zelfs wel grappig. 'Je verdiende loon! Volgende keer bedenk je je wel twee keer voordat je weer in zo'n avontuur stapt.'

Thomas had de meeste moeite met het huisarrest. Hij hoopte dat hun straf na de afwas opgeheven zou worden. Dat gebeurde ook, maar enkel onder begeleiding van pap en mam. De kids moesten verplicht mee wandelen.

Het duurde weer een eeuwigheid voordat mam klaar was. Emma zat op het trapje voor het huis te wachten. Zwaluwen vlogen af en aan, op zoek naar voer voor hun jongen. Een paartje had hun nestje in een verlaten schuur recht tegenover het huis gebouwd. Ze hoorde de kleintjes door het kapotte raampje piepen. Soms rustten de ouders uit op de elektriciteitsdraden boven de straat, samen met de andere zwaluwen uit het dorp. Emma probeerde ze te tellen, maar raakte steeds in de war. Telkens kwamen er bij of vloog er weer een groepje weg.

De zon brandde nog op haar gezicht. En op de muur, een eeuwigheid geleden gebouwd van granieten keien waar de grond in de Limousin mee bezaaid lag. Leem uit de beekbeddingen vulde de ruimtes tussen de grillige stenen. In de afgelopen eeuw had de regen grote brokken leem weggespoeld, geholpen door wespenkolonies en hagedissen die hun holletjes in de muren bouwden. Pap was bang dat het huis een keer in elkaar zou donderen. Elke vakantie smeerde hij de grootste gaten met verse leem dicht. Maar de hagedissen groeven er telkens weer nieuwe gangetjes en holletjes in. Zo hielden ze pap lekker bezig.

De zon lokte de hagedissen naar buiten. Ze zochten de warmste plekjes op de muur uit om te zonnebaden. Doodstil zaten ze te genieten.

Steven probeerde er een te vangen, maar ze schoten steeds net op tijd onder zijn handen weg.

'Je bent niet vlug genoeg,' zei Thomas. Hij zou het wel eens voordoen. Een paar keer zat hij ernaast, maar bij zijn derde poging had hij beet. Hij hield de kleine hagedis in het holletje van zijn handen. 'Zie je wel!'

Steven mocht hem overnemen. 'Zullen we hem in een potje stoppen?' zei hij.

Emma vloog op. 'Laat dat beest los, pestkop!'

'Doe niet zo flauw,' zei Steven. Hij klemde zijn handen op elkaar. 'Straks mag hij los. Het is leuk om naar te kijken.'

Mam kwam op het rumoer af. 'Wat is er aan de hand?'

'Thomas heeft een salamander gevangen,' zei Emma. 'Ze willen hem in een potje stoppen. Zielig hè?'

'Het is een hagedis, stom kind,' zei Thomas, de betweter. 'Die voelen toch niks.'

Als er iets was waar Emma niet tegen kon, dan was het dieren pesten. Georges deed soms ook zo gemeen. Hij gooide Lili meters door de lucht, trapte expres een naaktslak plat, of trok een krekel zijn poten uit. 'Je begint op Georges te lijken, dierenbeul!' blafte ze Thomas toe.

'Zo kan hij wel weer,' suste mam. 'Steven, laat dat beest los, want we gaan.'

Tijdens de wandeling waaierde de familie uit elkaar. Mam bleef achter om een bos bloemen te plukken. De jongens holden vooruit, op zoek naar stenen om in de rivier te gooien. Hun zakken puilden uit.

Pap en Emma plukten uitgebloeide paardenbloemen en bliezen er de zaadpluisjes af.

'Goed zo, volgend jaar staan de weien weer vol,' zei pap.

Het lukte Emma om in één keer alle zaadjes weg te blazen. Trots liet ze pap het kale hoedje zien.

'Nu word je honderd jaar!' beweerde hij.

'Hoezo?'

'Dat zeggen ze als je in één keer een paardenbloem kaal blaast.'

'Echt?' vroeg ze.

'Ik weet het niet. Voorlopig ben ik op de goede weg. Ik ben al over de veertig.'

Ze keek hem fronsend aan. Pap kwam telkens met nieuwe, vreemde spreuken. Ze vroeg zich wel eens af of hij haar voor de gek hield. Honderd jaar... alleen maar vanwege zo'n kaalgeblazen bloemetje? 'Ken jij iemand van honderd jaar?' vroeg ze.

'Een tante van mijn moeder leeft nog. Die is denk ik al 102. Mensen worden steeds ouder. Vroeger stierven ze jonger dan tegenwoordig.'

'Net als die jongen uit ons huis?' vroeg Emma.

'Welke jongen?'

'Die van die nare ziekte. Uit de brief die je voorlas.'

'Die leefde toch nog,' zei pap.

Dat was waar. Ze plukte een grasspriet af en stak hem in haar mond. 'Hoe oud is ons huis eigenlijk?'

Pap krabde zich op zijn hoofd. 'Meer dan honderd jaar, denk ik. Kijk, de jongens zijn al bij de brug. Ren je mee?'

Thomas en Steven hadden de kiezels uit hun zakken al in de rivier gemikt en kwamen nu met een enorme kei uit de wei aan.

'Ik ben Obelix!' riep Steven. 'Wie wil er een menhir?'

Pap moest lachen. 'De menhirs zijn klein dit jaar,' zei hij. 'Je moet een slok toverdrank nemen!'

'Dat mag niet van Panoramix,' zei Steven. 'Je weet toch dat ik als kind in een ketel met toverdrank ben gevallen.'

Samen tilden ze de kei op de reling.

'Een, twee, drie, daar gaat ie!'

Het water spatte op als een fontein.

Weer thuis mochten de kinderen toch nog even zonder toezicht de deur uit.

'Willen jullie het oude brood naar de familie Lascoux brengen?' vroeg mam.

Dat hoefde ze maar één keer te vragen. Met het tot beschuit opgedroogde stokbrood onder de arm holden ze naar de buren.

Koket begroette hen kwispelend. Ze schurkte langs hun benen en liet bij elke aai een behaaglijk gegrom horen. Zo veel aandacht was ze niet gewend.

Thomas trapte de bal weg. Koket sprintte eropaf en bracht hem terug. Met de neus op de grond en de staart in de lucht zwiepend keek ze hem smekend aan.

'Gaan jullie de beesten maar voeren,' riep Thomas. 'Ik speel liever met Koket.' Hij poeierde de bal naar de andere kant van het erf. Koket vloog er weer achteraan.

Steven en Emma liepen door naar de konijnen, achter de schuur.

De oude mevrouw Lascoux verschoonde de hokken. 'Bonjour,' zei ze vrolijk. Druk gebarend begon ze te praten. Ze had niet in de gaten dat Steven en Emma er geen snars van begrepen. Aan één stuk door kletsend veegde ze het vuile stro met de keutels in de kruiwagen onder de hokken. Daarna propte ze vers stro naar binnen en begon aan het volgende hok. De konijnen staken nieuwsgierig hun snuit naar voren. Ze vonden het fijn om vers stro te krijgen, maar nog lekkerder vonden ze het oude brood.

Het konijnenhok was een flat in het klein: twaalf kooien, drie hoog. Sommige stonden leeg, andere waren gevuld met een complete konijnenfamilie of een eenzame rammelaar. Minstens dertig beesten in totaal. In een hok zat een voedster met haar pasgeboren jongen, half onder hun moeder verscholen. Ze liet ze niet tellen.

De Lascouxs aten vaak konijnenbout. Dat hoorde bij het leven op een boerderij, volgens pap. Maar Emma vond het zielig. Die schattige beestjes zaten hun leven lang in een hok, en als ze groot genoeg waren, belandden ze in de pan. Opeens realiseerde ze zich dat ze de konijnen geen dienst bewees. Dankzij hun brood werden ze sneller vet, en gingen ze er eerder aan! Het brood dan maar aan de kippen voeren maakte niets uit. Die werden vroeg of laat ook opgegeten.

Terwijl ze daar stond te wikken en wegen, draaide de oude vrouw zich om.

'Tu veux tenir un lapin?' vroeg ze. 'Tiens...'

Voor Emma het in de gaten had, griste de oma een jong konijn onder de voedster vandaan en hield het onder haar neus. 'Tiens!'

'Ze wil dat je hem vastpakt,' zei Steven.

Aarzelend nam ze het beestje over. Doodstil zat hij op haar hand. De grijze vacht voelde zacht aan. Ze streelde hem over zijn kop.

'Mag ik ook?' vroeg Steven. Hij nam het beestje voorzichtig over en klemde het tegen zich aan. 'Hij is bang,' zei hij. 'Zijn hartje gaat als een razende tekeer.'

'Vind je het gek?' merkte ze op. 'Pasgeboren en dan in de handen van zo'n groot monster als jij gestopt worden.'

Oma Lascoux ging door met haar karwei. Toen ze klaar was zei ze: 'Assez!' Ze zette het konijn terug bij zijn moeder. Na een 'Au revoir' pakte ze de kruiwagen op en reed ermee naar de bosrand.

Die avond dook Georges weer op. Alsof hij rook dat Kolonisten van Catan tevoorschijn gehaald werd. Hij had het spel een paar dagen eerder geleerd en sindsdien was hij er helemaal aan verslaafd geraakt. Maar hij speelde het wel op zijn eigen, eigenwijze manier. Hij maakte de vreemdste handelsroutes en verzamelde ontwikkelingskaarten, maar vergat dorpen en steden te bouwen.

Pap probeerde hem met tips te helpen, maar dan antwoordde hij: 'I have a better plan.' En hup, daar legde hij de volgende straat.

Tussendoor stelde pap hem allerlei vragen in het Frans. Over zijn school, over zijn ouders, over zijn hobby's.

Aan het eind van het spel stond Georges op en zei 'Bonne nuit.' Weg was hij.

Thomas keek pap geërgerd aan. 'Wat ben jij toch een stomme zak, Mark.'

Paps mond viel open van verbazing.

'Kijk niet zo dom,' ging Thomas verder. 'Je snapt best wat ik bedoel. Je verjaagt Georges met dat idiote gevraag.'

'Hoe kom je daar nou bij?'

'Je bent nog pissig over vanmiddag. Je vertrouwt Georges niet. Alsof het zijn schuld is dat we naar de rivier waren. Nou, mooi niet! Jullie hebben zelf toestemming gegeven.'

'Thomas, hou op,' zei mam. 'Je weet best dat je fout zat.'

'O ja? Dat vind jij. Maar dat kan me niks bommen.'

Steven en Emma ruimden zwijgend het spel op. Als Thomas met pap en mam de strijd aanging, bemoeiden zij zich er liever niet mee.

'En nou ben je Georges aan het uithoren,' foeterde Thomas door. 'Zeker om een reden te vinden waarom we niet meer met hem mogen spelen. Maar je houdt me toch niet tegen!'

'Hou je grote mond!' Pap was nu net zo boos als Thomas. 'Ik ben juist blij dat jullie een kameraad hebben gevonden. Maar ik heb genoeg van jouw gepuber. Ik praat uit pure belangstelling met Georges. Ik wed dat ik meer over hem te weten ben gekomen dan jullie in twee weken tijd.'

‘Zoals?’ wilde mam weten.

‘Dat het maar een eenzaam kind is. Zijn ouders hebben een winkel in de stad. Iets met elektrische apparaten. Ze werken het hele jaar door. Zes dagen per week, zonder vakanties. Alleen op zondag zijn ze vrij, maar die dag plannen ze helemaal vol. Georges’ moeder spreekt elke week af met haar moeder en haar zussen. Dan koken en kletsen ze van ’s morgens vroeg tot ’s avonds laat. En Bertrand, Georges’ vader, gaat op zondag met zijn vrienden op pad. Vissen, jagen, jeu de boules spelen of naar de rugbywedstrijd van de plaatselijke kampioenen.’

‘Zijn ouders zijn best aardig,’ zei Thomas. Door de lawine van informatie over zijn nieuwe vriend vergat hij zijn boosheid.

‘Dat zijn ze ook, maar veel tijd voor Georges maken ze niet vrij. Hij zit de hele dag achter zijn computer. Later wil hij games ontwerpen. Daarom is hij daar nu zo veel mee bezig.’

‘Klopt,’ zei Thomas. ‘Hij is keigoed.’

‘Heb je je stekels weer een beetje ingetrokken?’ vroeg mam. Ze streek Thomas over zijn weerborstel.

Als je Thomas echt wilde pesten, moest je dat doen. Hij baalde van zijn piekharen, die zich er zelfs met een hele pot gel niet onder lieten krijgen. ‘Laat dat,’ snauwde hij en hij sloeg mams hand weg.

10

Er wordt beweerd dat je in je dromen de belevenissen van de voorgaande dag verwerkt. Dat leek die nacht ook het geval.

Emma droomde over het konijntje dat de oude buurvrouw in haar handen gedrukt had. Samen lagen ze in het gras; het grijsbruine beestje op haar buik. Emma kroelde achter zijn oren en aaide hem over zijn rug. Haar wens voor een eigen huisdier leek eindelijk uitgekomen. 'Jij bent mijn konijn,' zei ze. 'Mijn eigen konijn, en ik laat je nooit meer gaan.'

Het beestje snuffelde aan Emma's oor. Ze kreeg kippenvel van zijn kriebelende snorharen.

'Emma...' Zijn stem klonk zacht. Een beetje triest.

'Ja, lieverd, wat is er?'

'Emma, ik heb wat voor je.'

'Wat dan?' vroeg ze.

'Een oude munt van 5 francs. Die vond ik toen ik net zo oud was als jij. Ik heb hem verstopt. Wat moest ik met zo veel geld? Toen ik groter werd, dacht ik er niet meer aan. Nu heb ik hem niet meer nodig. Nu ben ik dood. Jij mag hem hebben.'

Pats! Emma's droom spatte uit elkaar.

In de hoek van de kamer stond de blauwe vrouw.

Het konijn op haar buik bleek de nieuwe ezel. En ze lagen niet in de zon, maar op bed. Ze drukte de knuffel dicht tegen zich aan. 'Wat wil je?' vroeg ze met bibberende stem.

'Ik wil je een cadeautje geven, Emma.' De geest zweefde roerloos boven de vloer. Haar lippen bewogen niet terwijl ze sprak. Ze sprak! De vorige keren keek ze Emma alleen maar aan, maar nu richtte ze zich rechtstreeks tot haar. Ze noemde haar naam! Nu werd het pas echt griezelig...

'Een cadeautje?' vroeg Emma. 'Waarom?'

'Ik wil dat je inziet dat ik meer dan een droom ben.'

'Wat bent u dan wel?'

De vrouw wendde haar gezicht af.

Emma aarzelde met de volgende vraag, maar stelde hem toch: 'Bent u een spook?'

De schim keek haar nu recht aan. Met ogen als twee holle gaten. Knikte ze met haar hoofd?

'Zoek mijn cadeau morgenvroeg. Het is het bewijs dat ik besta.'

'Waar moet ik zoeken?'

'Vroeger was dit mijn slaapkamer. Ik heb de munt onder de plint verstopt, achter de deur.'

Emma trok het laken over haar hoofd. 'Ik wil u helemaal niet zien,' piepte ze.

'Zoek onder de plint,' zei de vrouw.

Door het laken heen zag Emma hoe het blauwe licht weer langzaam doofde. Het werd pikdonker. Voorzichtig liet ze het laken zakken. De vrouw was verdwenen. Ze staarde verward de lege duisternis in. Wat gebeurde er toch met haar? Was het een nare reeks dromen die haar het leven zuur maakte, of had ze echt met een spook gesproken?

Ze stopte haar hoofd onder het kussen, zodat ze niks meer kon zien of horen. En zo woelde ze net zolang tot ze opnieuw in slaap viel.

Steven stormde enthousiast haar kamer in. 'Waar blijf je nou?' riep hij 'Het is keiheet. We gaan vandaag zwemmen!'

Alsof Emma daarop zat te wachten. 'Rot op!' mompelde ze slaapdronken.

Steven liet zich niet uit het veld slaan. 'Je moet opstaan,' ging hij onverstoorbaar verder, 'dan kunnen we lekker de hele dag op stap. We gaan naar Vassi... Viva... naar een groot meer, waar van alles te doen is. Speeltuinen, waterglijbanen, een treintje!'

Ze draaide zich om en keek hem venijnig aan. 'Ik zei toch dat je me met rust moet laten, etterbakje.'

Steven schrok. Normaal slingerde alleen Thomas dat soort scheldwoorden naar zijn hoofd. Of klasgenootjes die zijn wijsneuzigheid niet konden uitstaan. 'Stom kind, dan blijf je toch thuis!' snauwde hij en hij gooide de deur achter zich dicht.

Doodmoe bleef ze liggen, alsof ze de hele nacht in touw was geweest. Alle kracht leek uit haar lijf verdwenen. Haar hoofd was te zwaar om op te tillen, maar slapen lukte niet meer. Ze rolde van de ene zij op de andere, totdat ze het niet meer uithield. Geprikkeld trapte ze het laken van zich af.

Wat nu? Er was niemand met wie ze over de verschijningen durfde te praten. Waren Noortje en Anouk er maar. Met hen zou ze haar probleem wel durven te bespreken. Hoewel... Hoe zou ze haar vriendinnen kunnen uitleggen wat haar overkwam?

Ze kon maar niet bedenken wat te doen. Blijven liggen in die griezelkamer? Nee, dank je! Het was maar goed dat spoken zich overdag niet lieten zien. Daar hoefde ze niet bang voor te zijn. Tenminste, dat hoopte ze dan maar.

Ze wierp een snelle blik door haar kamer. Alles stond op zijn plaats, behalve dan de kleren en het speelgoed waarmee de grond bezaaid lag. Tot in de hoek achter de deur toe... Zou daar echt... Ze wilde het niet weten. Ze moest weg van die onheilsplek. Ver weg. Dat Vassivavi klonk haar opeens als muziek in de oren. Ze stapte haar bed uit. Met het verkeerde been en bovendien boven op een knikker. Een snerpende pijn schoot door haar voet.

'Wie heeft die knikkers laten slingeren?' gilde ze. Die stomkop was ze zelf natuurlijk. Ze wreef over haar pijnlijke voet. Het stond nu officieel vast: dit zou de beroerdste dag van het jaar worden.

Met tegenzin ging ze naar beneden. Haar hele lijf sputterde tegen: trillende benen, een knoop in haar maag, loodzware schouders en een hoofd waarbinnen het stormde als nooit tevoren.

Het ontbijt stond klaar, maar Emma kokhalsde alleen al bij het zien van paps stinkkazen en het twee dagen oude stokbrood. Eten was wel het laatste waar ze zin in had. Feitelijk had ze helemaal nergens zin in... En dat liet ze merken ook! Ze snauwde en knorde tegen alles en iedereen. De stemming daalde binnen de kortste keren diep onder het vriespunt.

'Emma, doe ons een plezier en ga naar je kamer,' zei pap uiteindelijk. 'Daar mag je over je idiote gedrag nadenken!'

Ze stampvoette weer naar boven en liet zich op bed vallen. Ze had de pest aan haar pestbui! Hoe kwam ze daar nou weer vanaf? Nergens aan denken, dan ging het misschien wel over. Maar hoe deed ze dat? Ze besloot het plafond te bestuderen. Met de handen onder het hoofd tuurde ze omhoog. Haar ogen volgden de scheuren. Er kronkelde er een van de lamp naar de hoek, en daar langs de muur omlaag. Het leek alsof er elk moment een stuk pleisterwerk naar beneden kon vallen. Pap zou hem nog een keer dichtsmeren, maar dat kon best even wachten. Die scheur zat er immers al toen ze het huis kochten. Misschien zat hij er wel al toen de blauwe vrouw nog leefde. Hoe lang zou ze al dood zijn? Had ze vroeger echt in deze kamer geslapen? Emma schoot overeind. Was dit de kamer van een geest? Opeens kreeg ze het steenkoud.

Wat zei de vrouw vannacht ook alweer? 'Ik wil dat je ziet dat ik meer dan een droom ben.'

Emma rolde op haar zij, trok haar knieën op en klemde haar armen eromheen om zich zo klein mogelijk te maken. 'Ik wil het niet weten,' fluisterde ze tegen zichzelf. Zolang het tegendeel niet bewezen was, kon ze zichzelf wijsmaken dat ze alles maar gedroomd had.

Toch werden haar ogen naar de hoek van de kamer getrokken. Achter de stoel, daar zou het cadeau van de blauwe vrouw liggen. Maar Emma wilde helemaal geen cadeau van een spook.

Hoe hard ze zich er ook tegen probeerde te verzetten, de plint achter de deur zoog haar naar zich toe. Dáár lag het bewijs! Het bewijs dat de geest in hun huis had gewoond. Of er lag niets. Ze probeerde zichzelf moed in te praten. Als er niets onder de plint lag, was die blauwe vrouw niet meer dan een droom. Een gewone, boze droom. Een hersenschim.

Met knikkende knieën stapte ze uit bed en sloop naar de hoek van de kamer. Ze schoof de stapel vuile was aan de kant. Aan de plint was niks te zien. Opgelucht haalde ze adem. Voor de zekerheid besloot ze nog wat beter te kijken. Ze knielde neer en wreef met haar vingers langs de kier onder de plint. De rand voelde scherp aan. Haar nagel stootte tegen iets hards. Er lag wél iets. Haar hart sloeg een slag over.

Nu moest ze het weten, anders kreeg ze haar leven lang

geen rust meer! Maar hoe haalde ze dat ding onder de plint vandaan? Ze had iets duns en stevigs nodig. Ze keek de kamer rond. Op het bureautje lag de schaar van haar knutselspullen. Ze haalde de schaar en schoof hem onder de kier. Het ding leek muurvast te zitten, maar ze was vastberaden te ontdekken wat daar lag. Nog één keer zette ze kracht, en toen schoot hij los: een zilveren munt! Hij was twee keer zo groot als een euro. Ze raapte hem op en draaide hem om. Het stond er duidelijk op: 5 francs.

Op datzelfde moment vloog de deur open en knalde tegen haar billen. Ze moest zich schrap zetten om niet te vallen.

'Wat doe jij nou?' Thomas stak verbaasd zijn hoofd om de deur. 'Wat heb je daar?'

Ze staarde wezenloos naar de munt op haar handpalm. Het cadeau van de blauwe vrouw!

'Zo hé, da's een mooie! Geef 's hier.' Thomas graaide de munt uit haar hand. 'Die ga ik pap laten zien,' riep hij en hij vloog naar beneden.

Emma bleef ontredderd achter. Het cadeau van de geest gloeide nog na in haar hand. Die munt was geen droom. Dus de vrouw was ook geen droom. Ze was meer dan een droom...

Even later stormde pap de slaapkamer in, gevolgd door de jongens. 'Waar heb je die munt gevonden?' riep hij opgewonden. 'Hij is meer dan honderd jaar oud! Een zilveren munt van vijf francs, dat was een kapitaal.'

Ze keek hem wazig aan.

'Vertel op,' zei hij ongeduldig. 'Misschien liggen er nog meer!'

'Dat denk ik niet,' zei ze.

'Hoezo niet? Wie weet wat voor schatkamer je hebt gevonden.' Pap gloeide van enthousiasme. Zoals altijd wanneer het huis weer een nieuwe schat prijsgaf. 'Zeg nou waar je hem hebt gevonden,' smeekte hij.

'Onder de plint,' zei ze.

Pap viel op zijn knieën en loerde onder de plint. 'Thomas, haal eens een zaklamp. En doe ook maar een schroevendraaier. Ik haal de plint weg, dan kan ik er beter bij.'

Thomas holde de trap af. Pap pakte intussen de autosleutel uit zijn broekzak. Hij vloekte zacht, omdat die niet onder de plint paste. Gelukkig voor hem was Thomas weer snel boven. Dankbaar nam pap de schroevendraaier aan.

Emma zat er als een zombie bij. Het kon haar niet schelen dat pap de plank van de muur rukte, een splinter in zijn vinger kreeg, mopperde dat er niks anders dan stof en gruis tevoorschijn kwam, en vervolgens (mét de nieuwe schat in zijn hand geklemd) afdroop. Hij nam niet eens de tijd de rommel op te ruimen.

Ze had wel wat anders aan haar kop. Haar hersens kraakten om op een rijtje te krijgen wat de vondst van de munt betekende. Er zat echt een geest in hun huis. Waarom zocht die juist háár op? Wat wilde ze? Of was het toch allemaal maar verbeelding en was zij langzaam gek aan het worden? Nee, dat kon nu definitief niet meer. De munt was het keiharde bewijs. Zou ze er met mam over praten? Maar wat moest ze dan zeggen? En wat kon mam eraan doen? Die was altijd meteen zo bezorgd. Zij zou vast met een idiote oplossing komen. Een of andere Franse dokter bijvoorbeeld, die haar zou opnemen in een ziekenhuis. Of een gekkenhuis... Nee, mam moest ze hierbuiten houden. Net als pap en de jongens. Die kon je met zo'n probleem al helemaal niet vertrouwen. Maar wie kon haar dan wel helpen? Niemand! Het zag ernaar uit dat ze er helemaal alleen voor stond.

En toch zou mam merken dat er iets aan de hand was. Wat nu? Zeggen dat ze zich niet lekker voelde en de rest van de dag in bed blijven? Als ze deed alsof ze ziek was, zou mam niet zo veel vragen stellen. Wie weet kwam ze dan vanzelf een keer op een oplossing.

In de keuken onder zich hoorde ze pap en Steven opgewonden praten. Die konden haar even gestolen worden.

Ze kroop terug in bed en sloot haar ogen. Onrustig woelde ze heen en weer. Om haar gedachten te verzetten, bladerde ze een paar oude Tina's door. Maar dwars door alle verhalen en plaatjes heen bleef de geest van de blauwe vrouw zich aan haar opdringen. Ze zat verstrikt in de greep van een ongrijpbare geest.

Het uitstapje naar het meer van Vassivière werd geschrapt. 'Ik ga niet met een ziek kind op pad,' zei mam. Af en toe kwam ze bij Emma kijken, met een beschuitje en een kop slappe thee. 'Zo te voelen heb je geen koorts,' zei ze.

'En toch ben ik ziek.'

'Waar heb je dan last van?'

'Mijn hoofd.' Dat was nog waar ook... in zekere zin. Maar mams pillen tegen de hoofdpijn waren natuurlijk waardeloos. Daar joeg je in nog geen honderd jaar een spook mee op de vlucht. En al helemaal geen spook dat door haar hoofd spookte.

Even later verschenen haar broers in de deuropening.

'Kom je spelen?' vroeg Steven.

'Geen zin,' bromde Emma.

Ze zág hen naar elkaar loeren. Alsof het haar schuld was dat die zonnige dag in het water viel. Dat zou best wel, maar het kon haar niets schelen! Zij had haar eigen problemen. Hoe vond ze ooit een uitweg uit deze hopeloze doolhof van verwarring?

Stiekem deed het haar goed dat ook de rest van de familie last had van haar verschijningen. Gedeelde smart is halve smart, ook al hadden ze geen idee wat er aan de hand was.

'Kom,' zei Thomas, 'we gaan naar Georges. Die zal vast wel blij zijn ons te zien.'

Een steek van jaloezie prikte in haar buik. Ze zou maar wát graag meegaan om te knuffelen met Lili; om naar de Franse tv te kijken; om een bonbon uit het geheime trommeltje van Georges' moeder te pikken. Misschien zou ze daar voldoende afleiding vinden. Bijna sprong ze uit bed om mee te gaan, maar ze bedacht zich direct. Mam zou het nooit goed vinden dat ze naar buiten ging. Zij geloofde niet in snelle, wonderbaarlijke genezingen. En eerlijk gezegd geloofde Emma zelf niet dat ze ergens ooit nog zoveel afleiding zou kunnen vinden dat ze niet meer aan die blauwe geest zou denken.

'De groeten!' zei ze.

De uren kropen voorbij. Af en toe sloop Emma naar beneden voor een plas of een glas water dat ze stilletjes in de badkamer haalde. De rest van de tijd zat ze als een zielig hoopje ellende op haar bed.

Op de oude radio wisselden muziek en kwetterende gesprekken tussen de presentatrice en bellende luisteraars elkaar af. Emma hoorde het met een half oor aan. Het dempte de storm in haar hoofd. Een beetje...

Pap en mam maakten van de nood een deugd. Ze poetsten het huis van boven naar onder en lieten in de tussentijd de wasmachine vier keer draaien. Pas toen het hele huis naar boenwas rook, kwamen ze tot rust. Emma bespioneerde ze een tijdje door het raampje bij de trap. Mam lag op haar favoriete plek in de tuin; het ene na het andere boek lezend. En pap zat weer met zijn neus in zijn Franse schatten. Emma zag hoe hij de munt zorgvuldig een ereplaats in zijn verzamelmap gaf.

Laat in de middag viel ze in slaap. Het schemerde al toen mam haar wakker maakte. 'Hoe voel je je?' vroeg ze.

Dat wist ze zelf ook niet. Een hele dag piekeren had geen oplossing gebracht. 'Het gaat wel,' zei ze om mam gerust te stellen.

'Wil je wat chocomelk?' vroeg mam. 'Pap maakt een kampvuur. Kom je erbij?'

Even aarzelde Emma. Buiten wachtten de pesterijen van Thomas en Stevens gemopper over een verloren dag. En pap zou vast beginnen over de munt, die ze het liefst uit haar geheugen weg zou knippen. Daar had ze weinig zin in, maar ze bedacht meteen dat in bed blijven nog veel erger zou zijn. De nacht kwam weer langzaam in zicht, net nu ze haar moeheid van zich af geslapen had. Ze zag zichzelf al urenlang met de ogen wijd open liggen wachten op een nieuwe, ongewenste verrassing. Nee, dan klonk paps kampvuur toch heel wat aantrekkelijker. Ze luisterde liever naar zijn nepgriezelverhalen dan naar een echte geest in haar slaapkamer. Dus besloot ze op mams uitnodiging in te gaan.

'Trek wel een trui aan,' zei mam. 'Het is fris buiten.'

Emma rilde, terwijl mam voor haar de trap af liep. Haar tanden klapperden. Was dat van de kou, of zou ze echt ziek zijn? Ze opende haar mond wagenwijd om het tandenklapperen te stoppen. Stel je voor dat mam het merkte en haar terug naar bed stuurde!

'Ik haal de chocomelk,' zei mam. 'Ga maar vast naar buiten.'

Het vuur knetterde hoog in de lucht. Pap had het net aangestoken met krantenproppen, doordrenkt met lampolie. Na een paar tellen zakten de vlammen.

'Mooi, hè,' zei pap. 'Kijk eens hoeveel kleuren er in het vuur zitten. Geel, groen, blauw, oranje, paars.'

Zwijgend ging Emma naast hem zitten. Opgelucht dat hij geen moeilijke vragen stelde. Vragen waarop ze toch geen antwoord wist.

Thomas stak een lange, dunne tak in het vuur; net zolang tot de punt gloeide. Toen zwiepte hij hem door de lucht. Strepen vuurwerk tekenden zich af tegen de donkerblauwe hemel. Hoe sneller hij heen en weer zwaaide, hoe mooier. 'Kijk,' riep hij opgewonden, 'ik kan schrijven met vuur.'

En inderdaad, met een beetje goede wil kon je de letters van zijn naam in de lucht lezen. Een voor een. Het leek of de vuurstrepen een fractie van een seconde op je netvlies bleven plakken. Alleen met de 'a' had hij moeite.

'Kijk uit wat je doet,' zei mam. Ze droeg een dienblad met chocomelk en chips in haar handen. Plotseling scheerde er een vleermuis langs haar hoofd. In een reflex dook ze weg. De chocomelk spetterde de bekers uit. Mam zette het dienblad naast de bank op de grond.

Steven graaide in de bak chips. 'Bah, je hebt chocomelk op de chips geknoeid,' klaagde hij.

'Vertel dat maar tegen die rotbeesten,' mopperde mam.

Intussen was het bijna donker geworden. Pap porde met een stok in het vuur. Het straalde een zalige warmte uit. Tien ogen staarden geboeid in de vlammen. Om de paar tellen schoot er een kleine vonkenregen uit op. De krekels en de krakende chips probeerden de stilte te verdringen.

'Vertel je nog een verhaal?' vroeg Thomas.

In het flakkerende licht zag paps gezicht er spookachtig uit. Zachtjes knikte hij, maar zijn lippen bleven gesloten. Er flitsten allerlei fantasieën door zijn hoofd, die langzaam tot een verhaal samensmolten.

Emma sloot haar ogen en zakte behaaglijk onderuit. Ze was dol op paps verhalen, hoe gek ze vaak ook waren. Vooral op vakantie in Beaumont, want daar was hij op zijn best. Het was heerlijk om bij het kampvuur naar hem te luisteren.

'Vandaag is het volle maan,' begon pap. 'Dit wordt een gevaarlijke nacht.' Hij liet een lange stilte volgen.

Emma loerde door haar oogspleetjes om het te checken. Inderdaad, aan de hemel stond een heldere, volle maan.

'Waarom?' vroeg Steven.

'Omdat altijd bij volle maan op 31 juli de Vloek van de Limousin tot leven komt.' Pap wachtte een tijdje voor hij verderging. 'Kennen jullie de Vloek van de Limousin niet?'

'Nee,' klonk het in koor.

Pap deed alsof hij verbaasd was. 'Echt niet?' zei hij. 'Dan wordt het tijd. Ik moet jullie de waarheid vertellen. Hoe verschrikkelijk die ook is. Het is belangrijk dat je het gevaar kent!'

'Is dat echt waar, pap?' vroeg Steven.

'Je denkt toch niet dat ik je een fabeltje vertel?' zei pap beledigd.

Een paar jaar geleden was Emma nog overtuigd dat pap alleen waargebeurde verhalen vertelde. Nu wist ze wel beter. Hij mixte echte geschiedenis met zijn fantasie. Nou en? Zolang het maar spannend of grappig was, vond ze het best.

'Iedereen hier kent het verhaal van Louis Garou, de zoon van de burggraaf van Chamborand,' ging hij verder. 'Tweehonderd jaar geleden was hij de schrik van de streek, met zijn gemene grappen, pesterijen en diefstallen.

Op 31 juli 1795 was het ook volle maan. Net als vandaag. Louis Garou wilde de mensen eens flink aan het schrikken maken. Uit de ridderzaal pikte hij het haardkleed, een wolvenvel met de kop er nog aan. Dat gooide hij over zich heen, en zo trok hij van dorp naar dorp. Overal liet hij de mensen in angst en beven achter.

Het was nog donker toen hij aankwam in Labrousse, waar bakker Jean Pachot het brood bakte. Louis klopte aan de deur. Jean was verwonderd over zo'n vroege gast, maar deed toch open om zijn eerste brood te verkopen. Hij kreeg de schrik van zijn leven. Daar stond hij oog in oog met een weerwolf.'

Steven kroop dicht tegen pap aan. 'Is dat echt gebeurd?' vroeg hij met een angstig stemmetje.

Pap legde zijn arm om hem heen en vervolgde zijn verhaal. 'Vlug gooide Jean de deur dicht en riep zijn vrouw Marie. Toen zij hoorde wat er voor de deur stond, besloot ze poolshoogte te nemen. Jean smeekte haar binnen te blijven, maar Marie was niet bang. Gewapend met een riek sloop ze via de achterdeur naar buiten. Ze hoorde nog net het valse lachje van Louis Garou. Dat herkende ze uit duizenden. De zogenaamde weerwolf steeg op zijn paard en reed weg, in de richting van Fursac. Ik zal die lummel een koekje van eigen deeg geven, dacht Marie. Ze holde naar binnen en bond een wit laken om. In de stal sprong ze op haar witte merrie en zette de achtervolging in. De volle maan was haar gids.

Louis' paard was vermoeid na die lange nacht. Steeds dichter naderde Marie de plaaggeest. In de buurt van Beaumont haalde ze hem bijna in.

"Louis Garou!" riep ze met een verdraaide stem. "Je hebt je laatste vuile streek uitgehaald, duivelsgebroed! Het uur van de wraak is aangebroken."

Geschrokken keek Louis om. Achter zich zag hij een witte geestverschijning op een wit paard. De angst greep hem bij de keel. Hij gaf zijn paard de sporen en sloeg er wild met de zweep op los. Het arme dier schrok daar zo van, dat het een vreemde sprong maakte en zijn berijder op de grond wierp. Louis Garou rolde de struiken in. Daarna heeft nooit meer iemand iets van hem gezien of gehoord.'

Pap pakte nog een blok hout en gooide dat op het vuur. De vonken spatten omhoog.

'Nooit meer,' herhaalde hij, 'behalve als het volle maan is op 31 juli. Dan dwaalt Louis Garou weer door de Limousin. Als een échte weerwolf. Hij doolt rond over de erven van de boerderijen. Hij smeekt de mensen om hem binnen te laten en hem iets te drinken te geven. Maar iedereen is doodsbenauwd voor hem en houdt de deur stijf dicht. Dertig jaar geleden is hij voor het laatst gezien. In Bénévent l'Abbaye.'

'Hoor ik daar iets?' fluisterde Thomas.

Pap lachte. 'Nee, dat is de wind die door de struiken blaast.'

'Zeg nou, is dat echt gebeurd?' vroeg Steven angstig.

Pap ging er niet op in. 'Ik zou niet weten wat ik zou doen als Louis Garou vannacht naar Beaumont komt.'

'Mark,' zei mam verontwaardigd, 'je meent het niet. Je laat de deur mooi dicht!'

'Ja, maar weet je...' zei pap geheimzinnig. 'Er wordt gefluisterd dat degene die hem binnenlaat en iets te drinken geeft, Louis Garous ziel verlost. Dan is hij niet langer een weerwolf. Dat zou het einde van de Vloek van de Limousin betekenen. Uit dankbaarheid zou Louis Garou zijn verlosser de plek aanwijzen waar de verloren schat van Chamborand verborgen ligt. Kisten vol goud en juwelen. Alle rijkdom die Louis tijdens zijn leven bij elkaar heeft gestolen. Stel je eens voor.'

'Nou moet ik het weten,' zei Steven. 'Is het waar of niet?'

'Natuurlijk,' zei pap. 'Anders zou ik het toch niet vertellen!'

Daar was Steven niet zo zeker van. Ook hij kende zijn vader al langer, maar kon het onderscheid tussen waarheid en leugen nog niet duiden.

'En als die weerwolf langskomt?' vroeg Thomas.

'Dan laat ik hem binnen en zijn we rijk!'

Mam verbrak de betovering. 'Het is elf uur,' zei ze. 'Naar bed!'

Emma wilde tegensputteren, maar Thomas was haar voor: 'Nee hè, nu al? Moet je kijken hoe mooi het vuur nog brandt. En trouwens, het is volle maan. Wil jij ons naar bed sturen met zo'n griezel als Louis Garou in de buurt? Wolven zijn bang van vuur.'

'Leuk geprobeerd,' zei mam. 'Maar jullie tijd is op. Neem maar een kaars mee naar bed. Die mag de hele nacht branden om de weerwolf bij je bed weg te houden.'

Die kaars hielp geen snars. Paps verhaal hield hen alle drie in de greep. Emma hoorde Steven in de kamer tegenover de hare woelen in zijn bed. Zelf was ze klaarwakker. Weerwolven, heksen en geesten tolden door haar hoofd. Ze staarde naar de schaduwen op het plafond. Op de gang klonk een vreemd, slepend geluid. Ze spitste haar oren.

Een ijzingwekkende kreet steeg op. 'Hoooeee!'

Ze schoot rechtop in bed, maar wist meteen dat ze niets te vrezen had. Dit was weer een van Thomas' geintjes.

'Ik ben Louis Garou!' probeerde hij nog, maar hij kon zijn lach niet houden. Hij struikelde over de deken die hij omgeslagen had.

'Stom joch,' mompelde Emma, terwijl ze opgelucht in het kussen zakte.

Maar Steven was woest. 'Klojo!' riep hij. 'Ik schrok me kapot, man.'

Hikkend van de lach ging Thomas terug naar zijn kamer. Hij gromde nog even na, als een hese wolf. Maar toen werd het stil in huis.

Emma bleef waakzaam. Niet dat ze bang was voor een nieuwe overval van haar lollige broer. Nee, ze verwachtte een andere, veel engere verschijning. De blauwe schim. Ze bleef er maar over piekeren. Wat moest die geest van haar? Waarom had ze juist haar uitgekozen om te spoken? Kwam ze vannacht weer? Stokstijf lag ze in bed. Het hart klopte in haar keel. Ik wil dit niet, dacht ze. Ze hield het niet meer uit. Ze moest erover praten met haar ouders, voordat ze helemaal gek werd!

Pap en mam zaten nog bij het vuur. Genietend van een glaasje wijn. De klaterende lach van mam drong door de vliegenhor voor het raam.

Emma gleed het bed uit en sloop zachtjes naar beneden. Bij de trap checkte ze of ze niet werd gevolgd. De buitendeur stond wijd open. Het gras voelde klam en koel aan haar blote voeten. Ze rilde.

Mam zat op de bank en pap lag met zijn hoofd op haar schoot. Mam kirde van plezier. Hetzelfde gegiebel als de meiden uit Thomas' klas wanneer de jongens om hen heen draaiden. Aanstellerij, vond Emma. Daar zou zij nooit aan meedoen!

Ze aarzelde. Kon ze pap en mam wel storen, terwijl ze zo knuffelig waren? Die zaten vast niet te wachten op haar griezelverhalen.

Ze wilde al terugkrabbelen. Je bent een stom kind, hield ze zichzelf voor. Je hebt net zo'n grote fantasie als pap. Ga nou maar gewoon slapen.

Maar voordat ze terug kon sluipen, kreeg mam haar in de gaten. 'Emma?' vroeg ze verbaasd. 'Huil je?'

Nu pas voelde ze dat de tranen in haar hals rolden. Ze probeerde wat te zeggen, maar een brok in haar keel blokkeerde de woorden.

Pap ging rechtop zitten. Hij pakte haar hand en trok haar naar zich toe. 'Wat is er met jou?' vroeg hij bezorgd. 'Kom eens hier.'

Ze plofte tussen pap en mam op de bank.

'Kindje toch,' zei mam, 'ben je zo ziek?'

Ze schudde het hoofd en fluisterde 'Nee', zo zacht dat ze zichzelf niet eens hoorde.

'Wat is er dan?' vroeg pap. 'Ben je bang?'

Ze knikte.

'Je weet toch dat het allemaal maar verzonnen is,' zei pap.

Emma keek verschrikt op. Hoe konden pap en mam nou weten wat ze de voorgaande nachten had gezien? Zouden ze haar in haar slaap hebben horen praten? Ze was behoorlijk in de war. Waarom was pap er zo zeker van dat het verzonnen was? 'En die munt dan?' zei ze, meer tegen zichzelf dan tegen pap.

'Wat bedoel je?' vroeg pap.

'De munt die ik heb gevonden,' zei ze. 'Zij heeft me verteld waar hij lag. Dat heb ik toch niet gedroomd?'

'Zij? Over wie heb je het?' vroeg pap.

'Over...' Toen pas werd het Emma duidelijk dat pap en mam van niets wisten. Pap dacht natuurlijk dat zijn verhaal over Louis Garou haar uit haar slaap hield. Zou ze het daarop houden? Ze kon nog terugkrabbelen. Maar nee, ze was niet voor niets naar beneden gekomen. Ze moest het vertellen. 'De blauwe vrouw,' zei ze zacht.

'De blauwe vrouw?' herhaalde mam. 'Wie is dat?'

'Dat weet ik niet,' antwoordde Emma. 'Het is een soort spook. Ze heeft me al een paar keer wakker gemaakt, midden in de nacht. Eerst zei ze niks, maar afgelopen nacht sprak ze tegen me. Ze vertelde waar ze de munt had verstopt. Om te bewijzen dat ze echt is.'

In de stilte die volgde, keken mam en pap elkaar verbijsterd aan.

De houtblokken smeulden in een rode gloed. Er kwamen geen vlammen meer uit. Emma staarde in het dovende vuur. Zouden ze haar geloven?

'Wat vertel je me nou?' zei pap opeens. Zijn stem schalde door de nacht.

Ze schrok nog harder dan van Thomas' gekrijs eerder die avond.

'Zit er een geest in ons huis?'

Mam trok haar tegen zich aan. 'Liefje,' zei ze zacht, 'vertel eens precies wat er is gebeurd.'

Met horten en stoten vertelde ze wat haar overkomen was, van het begin tot het eind.

Mam keek haar dochter met grote ogen aan, maar liet haar helemaal uitpraten. Dat gaf Emma een goed gevoel. Haar verhaal werd in ieder geval niet weggelachen. 'Ik wil dit niet,' besloot ze. 'Het is eng.'

Pap schraapte zijn keel, zijn vaste aanloop naar een wijze preek. Maar voordat hij iets kon zeggen, legde mam een vinger op zijn lippen. 'Weet je,' begon ze aarzelend, 'toen ik klein was, vertelde mijn oma wel eens dat ze met geesten kon praten. Het waren de dolende geesten van overleden mensen, die het leven nog niet los konden laten. Oma vond ze zielig en probeerde ze te troosten. Haar verhaal is me altijd bijgebleven, ook al geloofde ik er niets van. Nu ik jou zo hoor, denk ik dat ze toch de waarheid sprak. Geesten bestaan dus echt!'

Opgelucht haalde Emma adem.

Pap opende zijn mond, maar mam was hem opnieuw voor. 'En ik geloof ook dat jouw geest geen kwade bedoelingen heeft. Zoals ze probeert je aandacht te trekken, dat vind ik best vriendelijk. Voor een geest.'

Zou het echt? Emma wilde het maar al te graag geloven. Maar als dat mens écht vriendelijk was, waarom liet ze haar dan niet met rust?

'Hier moeten we maar eens een nachtje over slapen,' zei pap. In zijn stem klonk ongeloof. 'Misschien ziet de wereld er morgenvroeg heel anders uit. We gaan naar bed.'

Naar bed? Dat was de laatste plek waar ze nu heen wilde.

Mam zag de schrik in haar ogen. 'Kruip maar bij ons in bed,' zei ze. 'Dan zijn we dichtbij, als het nodig is.'

11

Die nacht sliep Emma voor het eerst in tijden weer eens als een blok. Ze lag opgekruld als een baby tegen mam aan. Mams kriebelende piekharen op haar neus wekten haar. En geluiden in het benedenhuis. Was dat pap? Normaal stond hij nooit als eerste op. Maar ze hoorde hem nu toch duidelijk een vrolijk liedje zingen. En gerommel in de keuken. Wat voerde hij uit?

Stil gleed ze het bed uit om te gaan kijken. Voorzichtig loerde ze de keuken in. Pap stond bij het aanrecht, met zijn rug naar de deur. De koffie pruttelde de pot in. Op het fornuis borrelden vijf eieren in een pan. De tafel was gedekt.

'Goeiemorgen,' zei ze.

Pap liet van schrik een blok kaas uit zijn handen vallen. Ze had hem betrapt bij het snoepen, iets wat hij zijn kinderen altijd verbood! Vlug raapte hij de kaas op en legde hem op tafel. 'Ook goeiemorgen,' zei hij met een volle mond.

'Wat ben jij vroeg op?'

'Goed hè? Ik had zin om jullie te verrassen. Dus ben ik al naar de bakker geweest voor een verse baguette en warme chocoladebroodjes. We kunnen zo eten.' Hij dook de koelkast in om de rest van de kaasjes en boter eruit te halen. 'O ja.' Hij draaide zich om en zei: 'Ik heb daarnet iets vreemds gehoord van meneer Lascoux. Hij heeft vannacht bezoek gehad.'

Een koude rilling liep over haar rug. In Beaumont kreeg nooit iemand 's nachts bezoek. Zou de buurman ook de blauwe vrouw gezien hebben? Of was het misschien Louis Garou? De afgelopen nacht was het immers volle maan op 31 juli, de enige keer in dertig jaar dat hij zich liet zien. Was het verhaal van gisteravond dan toch waar? Mam zei zelf dat geesten bestonden! Had pap het niet verzonnen?

'Er zat een zevenslaper in zijn slaapkamer!' zei pap.

Ze begreep er niets van. Wat had dat met Louis Garou of de geest te maken?

Bij het zien van de verbazing op haar gezicht begreep pap de spraakverwarring. Hij schoot in de lach. 'Nee, ze hebben geen weerwolf of spoken gezien! Een zevenslaper is een beestje dat lijkt op een eekhoorn, maar dan met een korte staart. Ze noemen hem ook een relmuis. Eerlijk gezegd wist ik niet dat ze bestonden, maar ik heb het opgezocht in het woordenboek. Hoe die bij Lascoux in huis kwam, is een raadsel.'

Ze haalde opgelucht adem. Ze kreeg liever zo'n pluizige gast op bezoek dan Louis Garou of – nog erger – de geest die haar achtervolgde.

Pap haalde de eieren van het vuur en goot ze af. 'Het ontbijt is klaar. Maak jij de rest wakker?'

Ze riep onder aan de trap: 'Opstaan, pap heeft voor het ontbijt gezorgd.'

Dat was voldoende om alle slaapkoppen in actie te krijgen. Thomas en Steven bonkten een paar tellen later de trap af.

Mam had meer moeite om wakker te worden. In haar ochtendjas stapte ze de keuken in. Ze zag eruit of ze net uit de droogtrommel kwam; nog helemaal in de kreukels. Verbaasd keek ze pap aan. 'Wat is er met jou aan de hand?'

'Ach,' zei hij opgewekt, 'om zeven uur was ik klaarwakker. Het leek me leuk jullie eens lekker te verwennen. Kom gauw zitten, de eieren en baguette zijn nog warm.'

'Hoe verzín je het, na zo'n korte nacht?' mopperde mam hoofdschuddend. 'Ik heb nog helemaal geen trek.'

Beteuterd keek pap naar de gedekte tafel.

'Ik rammel,' zei Thomas. Hij zat als eerste op zijn plek, maar mocht voorlopig alleen de geuren opsnuiven. 'Zullen wij vast beginnen?' zei hij gretig.

'Nee, dat is niet leuk,' zuchtte mam. 'Het ziet er feestelijk uit. Laten we maar gezellig samen eten.' Ze keek Emma onderzoekend aan. 'Heb je goed geslapen?'

'Ja, heerlijk,' antwoordde ze met een brede glimlach. Ze wilde niet dat haar broers ontdekten dat er iets bijzonders aan de hand was, dus gooide ze het snel over een andere boeg. 'Mmm, lekkere chocoladebroodjes! Daar had ik nou net zin in.' Ze ging op een stoel zitten en pakte het grootste van de schaal. Voordat Thomas er iets van kon zeggen, had ze al een grote hap in haar mond.

Pap wierp een veelbetekenende blik op mam. Alsof hij zeggen wilde: zie je wel, de wereld ziet er na een goede nachtrust heel anders uit.

Na het ontbijt vluchtte Emma met haar broers naar buiten. Snel genoeg om niet af te hoeven ruimen. Ze voelde zich bevrijd. De last van het in stilte gedragen geheim was van haar afgevallen. En mams herinneringen aan haar oma deden de rest. Geesten bestaan en je hoeft er niet bang voor te zijn. Waarom zou ze er dan nog over piekeren? Het was tijd om de vakantie weer op te pakken en lol te trappen. Zeker op zo'n mooie dag als deze.

Georges stond al klaar met een oude verfemmer en een speelgoedschepje. 'Let's find some shit.'

Ver hoefden ze niet te zoeken. Midden op straat zag Thomas

al de eerste, verse hondendrol. Het leek wel of Georges stiekem geoefend had, zo handig lepelde hij hem op de schep en kiepte hem in de emmer.

'Daar ligt er nog een,' zei Steven. 'Naast die put.'

Binnen de kortste keren vulden ze de bodem van de emmer.

'Bravo,' zei meneer Dujardin. De buurman maakte het dagelijkse ommetje met zijn vrouw. Hij als altijd met zijn deftige hoed op en zij met haar hoofddoek. Alles aan mevrouw Dujardin trilde. Ze had Parkinson, wist Emma. Net als de zus van opa. Een nare ziekte.

Monsieur Dujardin gaf Georges een schouderklopje en vervolgde zijn tocht.

'He likes it,' zei Georges.

'I do not.' Thomas kneep zijn neus dicht. 'It stinks. Let's bring it to the castle.'

De poort van kasteel Beaumont stond wagenwijd open. Gunstig, want dat betekende dat meneer Argentin een boodschap deed.

'Waar gaan we de poep neergooien?' vroeg Thomas.

'Luister,' riep Steven verschrikt. 'Daar komt hij aan!'

Nu hoorden de anderen het ook. Een geknetter aan de andere kant van het dorp kondigde de komst van een brommer of motor aan.

'Wegwezen!' gilde Steven.

'Rustig aan,' zei Thomas. 'We doen niets verkeerds. Nog niet...'

'Het is Céline,' zei Emma opgelucht.

De dochter van de kasteelheer zat achter op de motor. Ze klemde zich dicht tegen haar vriend aan. Verwonderd keek ze het groepje kinderen bij de kasteelpoort aan.

'What now?' vroeg Thomas. Dit was duidelijk niet het juiste

moment om de lading poep bij het kasteel te leggen.

'I do it when it is dark,' zei Georges.

Alsof er niets aan de hand was, liep hij terug naar huis. Hij zette de emmer bij de voordeur neer, ging naar binnen en liet de rest verbaasd buiten staan.

'Wat doet hij nou weer raar?' vroeg Steven zich hardop af.

Thomas haalde zijn schouders op. Dat was typisch Georges. 'Die zien we straks wel weer een keer,' zei hij. 'Kom eens, ik moet je iets laten zien.' Hij verdween in de schuur tegenover het huis. Ze hadden geen idee van wie die was, maar er kwam nooit iemand.

Het was er halfdonker. Spinnenwebben hingen aan het plafond, vol stof en gruis. Ze moesten bukken om ze niet in hun haren te krijgen. Voorzichtig stapte Emma over een oude ploeg heen.

'Kijk eens wat een mooie stokken,' zei Thomas. In de hoek stond een bundel lange rechte takken. 'Voor bij het kampvuur. Dat geeft een prachtig zwiep-vuurwerk.'

Steven pakte een stok en onderzocht hem. 'Nee joh, het is net een echte lans! Een Griekse. Die hadden van die lange lansen.' Hij koos de twee mooiste uit om mee naar de tuin te nemen. De stokken sleepten over de grond achter hem aan. 'Waar is mijn schild gebleven?' vroeg hij.

'Welk schild?'

'Dat deksel van die oude pan. Je weet wel, waar ik vorig jaar twee zwaarden op geschilderd heb.'

'Dat ligt ergens in het geitenschuurtje,' wist Emma hem te vertellen.

Steven haalde zijn schild op. Het was geblutst en de verf bladderde eraf. Juist mooi, vond hij. Dan kon je zien dat er mee gevochten was. Hij hield het schild voor zijn borst. 'Doe je mee?' stelde hij Thomas voor. 'We spelen de strijd om Troje. Jij mag kiezen of je Ajax of Hector bent.'

'Ajax natuurlijk,' zei Thomas. Die Grieken konden hem gestolen worden, maar oorlog spelen vond hij wel leuk. Als Steven zo graag wilde dat hij een ouwe Griek was, dan het liefst Ajax. Zo heette immers zijn favoriete voetbalclub. 'Kom maar op!' riep hij. 'Ik lust je rauw.'

Steven had heel andere interesses dan voetbal. Hij droomde de hele dag over kastelen en gevechten te paard. Hij pakte zijn lans op. 'De Trojanen doen een verrassingsaanval. Via een geheime poort hebben we de stad verlaten. We vallen jullie in de rug aan. Jullie zijn al naar het strand verjaagd.'

'Wij zijn niet bang,' brulde Thomas. 'We hakken jullie in de pan!'

Verveeld plukte Emma een uitgebloeide paardenbloem. Gelukkig hoefde zij nooit met die wilde spelletjes mee te doen. Die liepen altijd verkeerd af.

De jongens begonnen een stuntelig gevecht. Hoe konden die Grieken vroeger in hemelsnaam met zulke lange lansen vechten? De stokken waren verschrikkelijk onhandig. Zelfs Thomas, die toch echt sterk was voor zijn leeftijd, wist er geen raad mee. Wild maaide hij in het rond.

'Je moet er niet mee zwaaien, gek,' riep Steven. Hij had het nog niet gezegd, of hij kreeg een beuk tegen zijn billen. 'Lomperik!'

Thomas daagde zijn broertje uit. 'Kom dan, Hector,' sarde hij. Een serieus gevecht lukte niet met die stomme stokken. Dus stapte hij over op zijn plan B: Steven pesten! Dat was een van zijn favoriete bezigheden. Hij draaide in een grote boog om Steven heen en porde hem in de buik.

Steven gooide zijn wapens op de grond en greep Thomas'

lans beet. Het lukte niet de stok uit zijn handen te trekken. Voor hij het wist, lag Steven op de grond.

'We are the champions!' zong Thomas. 'Ajax heeft gewonnen, da's logisch toch?'

Steven was woedend. Hij krabbelde op en stormde op zijn broer af. Dat had Thomas niet verwacht. Hij verloor zijn evenwicht. Samen rolden ze door het gras. Ze sloegen en stompten waar ze maar konden. Thomas' T-shirt scheurde; uitgerekend zijn lievelingsshirt, met de afbeelding van een of andere metalband waarvan de hele dag de muziek uit zijn iPod knalde. Woedend trok hij Stevens bloes aan flarden.

Mam kwam op de herrie af. 'Ben je nou helemaal gek geworden! Kijk eens wat je gedaan hebt. Die shirts!'

'Ja, maar...' probeerde Thomas.

'Hij begon,' snotterde Steven.

'Kan me niks schelen. Ik dacht dat jullie verstandiger waren. Doe die dingen uit. En waag het niet nog eens kleren te verscheuren!'

Briesend verdween Thomas naar binnen.

'Kom Emma,' zei mam, 'dan gaan we een eind wandelen.' Het klonk meer als een bevel dan als een gezellig voorstel.

'Wacht even,' zei Steven. 'Ik ga mee.'

'Nee,' zei mam resoluut. 'Wij hebben belangrijke zaken te bespreken. Daar kunnen we jou niet bij gebruiken.'

Emma had Steven net zo lief wel meegenomen. Na die rotdag van gisteren was ze zó opgelucht dat ze weer kon genieten van de chocomelk bij het ontbijt en zelfs van een ruzie tussen haar broers. En nou moest mam zo nodig alleen met haar wandelen? Daar had ze helemaal geen zin in!

Ze had het goed geraden dat dit geen gewone wandeling was. Mam begon meteen over de geest.

‘Heb je haar nog gezien vannacht?’

Ze baalde, want het was eindelijk gelukt de verschijningen een beetje uit haar gedachten te bannen. Ze gaf een ontwijkend antwoord. ‘Misschien heb ik het me maar verbeeld.’

‘Vannacht was je anders heel zeker van je verhaal.’

Wat moest ze daarop zeggen? Onder de stralende zon leek de geestverschijning zo ver weg. Of liever: ze wilde er niet aan denken. Dat lukte die ochtend verrassend goed. Ze had zich al bijna verzoend met de nachtelijke verschijningen, zolang ze er de rest van de dag maar geen last van had. Maar dat ging moeilijk zo. Nu zat niet alleen die geest op haar nek, maar ook nog haar moeder! Had ze het hele verhaal maar voor zich gehouden…

‘Als je naar huis wilt, moet je het zeggen,’ zei mam.

Dat wilde ze wel! ‘Ja, laten we kijken of Lili in de tuin is.’

Ze wilde zich omdraaien, maar mam greep haar arm.

‘Ik bedoel naar Nederland…’

‘Nederland? Waarom?’

‘Emma…’

Mam had onbewust een open zenuw geraakt. Paniek greep Emma bij de keel. Dit was nou net het probleem! Natuurlijk wilde ze van haar stalkende geest verlost worden, maar om daar de vakantie voor af te breken? Ze had zich hier maanden op verheugd. Ze hield van deze plek. Het was de hemel op aarde. Totdat zij verscheen. Sindsdien voelde ze zich heen en weer geslingerd tussen hemel en hel.

‘Ik wil hier blijven.’

‘Ondanks..?’

Ondanks de geest die haar ’s nachts de hel in sleurde? Ja, zelfs mét geest wilde Emma blijven. Het spook joeg haar elke keer weer schrik aan, maar na haar biecht en het gesprek met pap en mam gisteravond leken de verschijningen lang niet meer zo angstaanjagend. Nu ze erover nadacht, vond ze het zelfs oneerlijk om haar met helse duivels te vergelijken. Het was best een aardige geest. Daar liet ze zich toch niet door naar Nederland terugjagen?

'Je praat er liever niet over,' zei mam.

Hèhè, ze had het eindelijk door! Emma haalde haar schouders op.

'Da's best,' ging mam verder. 'Als je die geest weer eens ziet, denk dan maar aan wat mijn oma zei. Je hoeft niet bang te zijn. Wij zijn dichtbij.'

Dat had Emma zelf ook al bedacht. 'Kunnen we terug?' vroeg ze. 'Ik wil met de jongens spelen,' voegde ze er snel aan toe. Mam moest niet denken dat ze de vakantie wilde afbreken!

Krak.

Ze bleven staan en hielden hun adem in. Een paar meter verderop bewoog iets in het bos. Nog een krak.

'Een hert!' fluisterde mam.

Maar het was geen hert. Iemand liep dwars door het bos. Emma herkende haar direct. Het was de oude vrouw van het huis bij de rivier. Aan haar arm droeg ze een mandje paddenstoelen. Ze mompelde zachtjes in zichzelf, tot ze de wandelaars opmerkte. Even keek ze Emma recht in de ogen. Haar lippen leken zachtjes een nare spreuk over haar uit te prevelen. Na een paar tellen verbrak ze de betovering, zei vriendelijk 'Bonjour' en liep weer verder. Zonder om te kijken.

Mam groette terug. 'Zag je dat?' fluisterde ze met een glimlach. 'Ze heeft een pluisbaard. Ik hoop niet dat ik daar later last van krijg.'

Emma stond nog steeds als aan de grond genageld. Ze had

het gevoel dat de heks met haar indringende blik haar gedachten had proberen te lezen. Dat was pas eng!

'Wat zie jij opeens bleek?' vroeg mam bezorgd. 'Heb je soms weer een geest gezien?' Ze schoot in de lach.

Dat brak de spanning. 'Nee, veel erger!' zei Emma met een glimlach. 'Er lopen hier ouwe heksen in het bos. Laten we maar gauw naar huis gaan. Ik wil met Lili spelen.'

De voordeur bij Georges stond wagenwijd open, alsof het huis wilde zeggen: 'Kom maar binnen!'

'Volgens mij zijn de jongens hier,' zei Emma. 'Mag ik?'

Mam glimlachte. 'Natuurlijk. Veel plezier.'

In de keuken hing nog steeds de scherpe geur van kattenpis. De vloer lag vol vliegenlijkjes en modder. Schoenen slingerden overal rond. Om de keukentafel stonden vier verschillende stoelen, met in elke poot krassen van een kat. Lili lag uitgestrekt op tafel, naast een fruitschaal met zwarte bananen en verdroogde druiven. Emma aaide zachtjes over haar rug. Ze begon te spinnen en zwiepte met haar staart. Een hele zwerm fruitvliegjes vloog op.

Ze had normaal niet zo'n oog voor vuiligheid, maar hier viel het zelfs haar op. Mam zou eens bij Georges op bezoek moeten gaan. Dan kon ze met eigen ogen zien wat echte troep was. Misschien zou ze dan nooit meer klagen over de rommel op de kinderkamers. De ouders van Georges waren heel aardig, maar wat een sloddervossen... Het leek net of het huishouden hen niets kon schelen.

Pap had gelijk, bedacht Emma. Eigenlijk verwaarloosden ze hun zoon ook een beetje. Hij kreeg alles wat zijn hartje begeerde. De snelste computer, een racefiets met zestien versnellingen, elke week een nieuwe dvd. Alles waarmee hij zichzelf kon vermaken. De hele zomervakantie lang, twee volle maanden. Maar eens gezellig met zijn ouders op stap? Dat gebeurde nooit. Georges beweerde dat hij het niet erg vond. Niemand die aan zijn hoofd zeurde, het rijk voor zich alleen. Toch had ze medelijden met hem. In heel Beaumont woonden geen andere kinderen. Céline, de dochter van meneer Argentin, was al zowat volwassen.

Ze vroeg zich af waarom ze niet eerder met hem bevriend waren geraakt. Kwam het misschien omdat Georges een beetje mensenschuw was? Hij was duidelijk niet gewend met andere kinderen te spelen. Hij wilde graag dat ze hem alle drie aardig vonden. Hij deelde snoep uit en liep als een schoothondje achter hen aan. Maar twee tellen later kon hij als een blad aan een boom omdraaien. Dan sloeg hij aan het pesten. Vooral Steven en haar. Zo probeerde hij indruk op Thomas te maken. Nou was dat ook niet bepaald een engel, maar hij wist tenminste wanneer hij moest ophouden. Georges kende geen rem. Tot vervelens toe kon hij doorjennen. Haar knuffels verstoppen, Steven in zijn arm knijpen, haar en Steven buitensluiten. En dan dat treiterige napraten: 'Georges, stop.' Honderd keer achter elkaar. Net zolang tot ze er genoeg van hadden en ze hun toevlucht bij pap of mam zochten. Beledigd vertrok Georges dan naar huis, om een half uur later met een pak koeken terug te komen. Alsof er niks aan de hand was, sloot hij dan weer gezellig aan. Ook al kon je geen peil op hem trekken, Georges bleef een grappige vriend. Dankzij hem was hun wereld in Frankrijk groter geworden. Zó zag het leven van een Franse leeftijdsgenoot er dus uit. Niet eens zo heel verschillend van hun eigen leven. Georges was net zo verslaafd aan computerspelletjes als Steven en Thomas.

Ze hoorde in de speelkamer alweer het knallen van Call

of Duty. Maar dit keer waren Georges en Thomas niet van de partij. Steven vocht in zijn uppie een oorlog op het beeldscherm uit.

'Waar zijn de andere twee?' vroeg ze.

Betrapt! Steven klikte vlug op de pauzeknop. Schieten en praten tegelijk was lastig. Kon je in het echt ook maar een oorlog op pauze zetten om dan over vrede te praten!

'Ze zijn aan het fietsen.'

'Fietsen?' Georges' supersonische racefiets stond meestal te verstoffen in de schuur. Hij reed er amper op, omdat hij liever op zijn luie gat achter zijn computer zat.

'Ja, gelukkig,' zei Steven. 'Thomas is nog steeds kwaad over onze ruzie. Ik ben naar Georges gevlucht. We waren net aan een spelletje begonnen toen Thomas binnen kwam stormen. Hij zeurde Georges net zolang aan zijn kop tot hij meeging.'

Emma vroeg zich af wat mam ervan zou vinden als ze hierachter kwam. Thomas mocht alleen op het zandpad naar de rivier fietsen. De gewone wegen vond ze veel te gevaarlijk, met alle bochten en de Franse chauffeurs die daar met hun ogen dicht overheen raasden.

Ze had geen idee waar Thomas en Georges wél heen gefietst waren, maar zeker niet over het zandpad naar de rivier. Daar kwam ze net zelf vandaan. Natuurlijk zou ze Thomas niet verraden. Het kon altijd van pas komen als je op de hoogte was van je broers verborgen streken...

Steven dook weer in zijn loopgraaf.

Emma pakte een stoel en schoof bij achter de computer.

Even later keerden Thomas en Georges helemaal verwaaid terug. Hun T-shirts plakkend van het zweet en hun haren in de war.

Georges plofte uitgeput op een keukenstoel en zette een fles cola aan zijn mond. 'Aaaah... cool,' was het enige wat hij nog uit kon brengen.

Maar Thomas had nog energie voor tien. 'Come on,' zei hij, 'we go play badminton.'

'Ja leuk,' zei Emma. Ze had haar kleine broertje nu wel vaak genoeg neergeschoten zien worden. Dat die jongens dat leuk vonden!?

Steven wilde eerst zijn level uitspelen en Georges mompelde een of andere smoes. Hij moest vast even bijtanken van de inspanningen. Dus gingen Thomas en Emma samen naar hun tuin.

Het badmintonnet hing er nog van de vorige partij. Een beetje onhandig van boom naar boom geknoopt. Je moest niet te veel naar de zijkanten slaan, want dan bleef de shuttle in het bladerdek hangen. Ze waren inmiddels wel gewend geraakt aan die handicap.

Bij de meeste spelletjes was Thomas iedereen de baas, maar om van Emma te winnen met badminton moest hij toch echt zijn best doen!

Het duurde niet lang of ook Steven en Georges sloten zich bij hen aan. Jammer genoeg had Georges de week ervoor een van de rackets doormidden geslagen toen hij een shuttle uit de boom probeerde te halen. Er waren er nog maar drie over en dus moesten ze om de beurt toekijken.

Emma won op het nippertje van Thomas.

'My turn,' riep Georges. Hij pakte het overgebleven racket en zwaaide er een paar keer mee in de rondte. 'Okay, I am ready!'

Emma ging tevreden naast Steven zitten. Dat werd vast weer lachen, want Georges kon er niets van.

Thomas nam zijn racket in zijn linkerhand. Als hij normaal speelde, was Georges geen partij voor hem, maar zo kon het misschien nog spannend worden.

Bij de eerste de beste slag zat Georges er al meteen ver naast. 'Oeps,' zei hij, 'did you see that? That was the wind.'

Hij raapte de shuttle op, maakte een driedubbele looping met zijn racket en... miste opnieuw. Maar hij deed alsof hij een briljante slag geslagen had. Hij tuurde de hemel in en riep: 'I'm so sorry, but that shuttle is gone to the moon.'

In de tussentijd snuffelde pap aan het tafeltje naast het badmintonveld door zijn oude brieven. Enthousiast vertelde hij mam wat hij nu weer gelezen had. Een uitnodiging aan de familie Lefort om Pasen bij een nicht in de stad te vieren, een briefkaart van een meisje dat haar peetoom bedankte voor een cadeau, een brief waarin een vriendin de familie condoleerde met het overlijden van de jonge Albert.

Maar mam gaf geen gehoor. Ze was in slaap gevallen. Haar boek lag op de grond. De bril stond scheef op haar neus. Ze sloeg een kriebelende vlieg van haar wang.

Pap bespiedde haar minutenlang met een glimlach. 'Slaap je echt?'

Geen antwoord.

Hij liep op zijn tenen naar de ligstoel om mams bril af te zetten. Hij drukte voorzichtig een kus op haar voorhoofd.

Emma keek tevreden toe. Ze voelde zich volmaakt gelukkig die middag. Zó hoorde vakantie eruit te zien!

Na de afwas dreigde het bijna mis te gaan, omdat Thomas weer ruzie zocht met pap. Hij gooide de natte vaatdoek op tafel. 'Zo, en nou een spelletje!' riep hij.

'Ho ho jongeman,' zei pap, 'waar ga jij heen? Je moet eerst

de boel opruimen. Of wil je je spelletje tussen de pannen en glazen spelen?'

Thomas keek pap knorrig aan. 'Waarom kopen we geen vaatwasser?'

'Omdat er geen plaats voor is in de keuken, omdat ik bang ben dat hij stukgaat als hij de hele winter niet gebruikt wordt, en omdat jullie verwende apen worden als je niet af en toe iets in het huishouden doet.'

'Ja hé, ik ben je slaaf niet!'

'Wat heb jij toch een zwaar leven! Elke dag afwassen als je op vakantie bent. Gelukkig gaan we binnenkort weer naar huis. Daar hoef je maar één keer per week je kamer op te ruimen. Wees blij dat je in de 21ste eeuw leeft. De kinderen die hier vroeger woonden hadden het pas echt zwaar. Zij moesten hard werken na schooltijd én in hun vakanties.'

'Ach, jij ook altijd met je "vroeger",' mopperde Thomas. Maar hij begreep dat tegenstribbelen geen zin had. Vlug stapelde hij de glazen, borden en pannen in de kast. 'Ik ben klaar. Wie doet er mee?'

'Welk spel?' vroeg Steven.

'Maakt niet uit. Kaarten?'

'Pokeren!' zei pap resoluut. 'Ik voel dat ik vandaag ga winnen.'

'Had je gedacht,' zei Thomas. Hij rende de trap op om zijn doos met fiches te halen.

Georges klopte net op tijd aan om ook mee te spelen. Alleen mam deed niet mee. Zij had voor niks of niemand meer tijd als ze haar boek opensloeg.

Pokeren was niet Emma's favoriete spel. Het lukte haar gewoon niet om te bluffen. Ze had geen idee waar dat aan lag. Zat ze soms op haar stoel te wiebelen? Of begon ze zenuwachtig aan haar haren te plukken? Het maakte trouwens niet veel uit. Ze had 's middags al gewonnen met badminton, en bovendien was het altijd leuk om pap te plagen. Als ze met hem rond de spelletjestafel zaten, vormden de broers en zus een nooit afgesproken bondgenootschap tegen hem. Als het hun lukte om hem uit zijn hum te krijgen, hadden ze voor hun gevoel al gewonnen. De uitkomst van het echte spel maakte dan niet meer uit, behalve voor Thomas natuurlijk.

Zo begon het die avond ook. De eerste rondes verloor pap het ene na het andere fiche.

'Geen geluk in het spel, maar geluk in de liefde,' zei Emma spottend.

'Laten we het daar maar op houden,' bromde pap.

Maar het pakte anders uit. De kaarten vielen steeds net goed voor pap. Tot zijn eigen verbazing won hij het spel.

'Gaat het wel goed tussen jou en mam?' informeerde Emma.

'Nog een potje,' riep Thomas. 'Ik wil revanche!'

'Mij best,' zei pap overmoedig. 'Ik ben in de winning mood!'

Het werd een lang spel. Opnieuw trok pap aan het langste eind, ook al spanden de kinderen meer dan ooit tegen hem samen. 'Kijk,' zei hij trots, 'zo doet een echte kampioen dat.'

'Ik begin me nu toch echt zorgen om jou en mam te maken,' plaagde Emma.

'Kom, we doen nog een spelletje,' zei Thomas.

'Ik denk het niet,' zei pap. 'Weet je wel hoe laat het is? Tanden poetsen en naar bed!'

'Bang dat je verliest?' probeerde Thomas.

'Echt niet,' zei pap. 'Maar moet je die bleke koppies van Steven en Emma zien. Jullie zijn doodop. Vooruit, voordat ik je naar boven moet dragen!'

'We play again?' vroeg Georges, die er niets van begreep.

'No, Mark is afraid,' zei Thomas. 'He is a lafaard!'

'We stop?' vroeg Georges teleurgesteld.

'Yes.'

'Okay,' zei Georges. 'Tomorrow we will get mister Argentin?'

Pap spitste zijn oren. 'Wat ga je doen?'

'Niks,' zei Thomas met een onschuldig gezicht.

'What's going on with mister Argentin?' vroeg pap nu rechtstreeks aan Georges.

'O, he is angry at us.'

'He always is,' mengde Thomas zich in het gesprek.

Maar pap liet zich niet afleiden. 'What happened?' vroeg hij weer aan Georges.

'He found the shit at his gate.'

Steven schoot in de lach. Zijn Engels werd steeds beter en hij wist precies waar het over ging.

'Shit?' vroeg pap argwanend. 'What shit?'

'From the dog.'

'Thomas, Steven, leg eens uit wat er aan de hand is.'

Steven proestte het uit. 'We brengen meneer Argentin zijn drollen terug.'

'Welke drollen?'

'Die van Rambo.'

'Ja,' vulde Thomas aan. Hij merkte dat het geen zin meer had eromheen te draaien. 'Dat beest schijt het hele dorp vol. Wij verzamelen de poep in een emmertje en leveren het dan af bij het kasteel. Misschien kan Argentin het gebruiken als mest voor zijn tuin.'

'Zo te horen is hij daar niet blij mee. Heb je op je donder gehad?'

'Hij heeft de vader van Georges de huid vol gescholden.'

'Nou,' zei pap geschrokken, 'dat lijkt me duidelijk. Ophouden met die shitzooi!'

Thomas haalde zijn schouders op.

'Wat ben je morgen van plan?'

'Dat weten we nog niet.'

'Geen gekke dingen doen,' waarschuwde pap. 'Anders krijg je het ook met mij aan de stok!'

Pap had het goed gezien. Emma was doodmoe. Ze plofte in bed en sloot haar ogen, nagenietend van de heerlijke dag. Het laatste wat ze zich herinnerde voor ze in slaap viel, was Lili. Vlak voor het eten was ze nog even langsgekomen om te spelen. Ze rende de hele tijd achter een touwtje met een balletje aan. En toen ze moe was, kroop ze bij Emma op schoot. Tevreden spinnend.

Ze voelde weer de warme zon. Een zachte windvlaag streelde haar gezicht. Ze kreeg er kippenvel van. Even meende ze dat het Lili's staart was, maar Lili mocht niet eens binnen – en al helemaal niet 's nachts. Verwonderd opende ze de ogen. Een bekende blauwe gloed vulde de kamer. De vrouw stond vlak naast haar bed. In een reflex stak Emma een arm uit om haar van zich af te duwen. Haar hand zwaaide dwars door de blauwe schim heen. Het voelde ijskoud aan. Als door een wesp gestoken trok ze haar arm weer terug. Ze kneep de ogen dicht. Als ik niks zie, is ze er ook niet, dacht ze. Nou, dat had ze mooi mis.

'Emma.' De stem klonk ijl. 'Ik zag dat je de munt hebt gevonden.'

Emma klemde de handen op haar oren. Maar hoe zacht de stem ook was, de woorden drongen haarscherp tot haar door.

'Je hoeft niet bang te zijn. Ik ben geen boze geest. Alleen

maar een dolende ziel, die op zoek is naar rust. Het leven is hard voor mij geweest. En ik ben hard voor het leven geweest. Dood en verdriet hebben mij achtervolgd.'

'Hou op!' gilde Emma. 'Wat wil je van me? Ga weg!'

'Wat is er aan de hand?' riep pap slaapdronken vanuit zijn bed.

'Ik wil dat je me helpt,' zei de geest. 'Vraag Emma vergiffenis.' Haar stem vervaagde net zo snel als haar verschijning.

Het licht klikte aan. Pap en mam stonden in de deuropening. Paniek in hun ogen.

'Was ze er weer?' vroeg mam bezorgd.

Emma zat als een bang katje in elkaar gedoken. Wat had ze aan mooie praatjes over een vriendelijke geest? Ze had haar toch weer de stuipen op het lijf gejaagd.

Mam sloeg haar armen om haar heen. 'Kom maar, kindje.'

Thomas stak slaperig zijn hoofd om de hoek. 'Waddisser?' vroeg hij.

'Niks aan de hand,' zei pap. 'Emma had een nachtmerrie. Ga maar slapen.' Hij wenkte mam en Emma. 'Kom maar naar onze kamer. Daar zijn geen enge spoken.'

12

Bij het ontwaken voelde het alsof er een reus boven op haar had gezeten. Haar lijf deed pijn van kop tot teen. De hele nacht had ze liggen draaien en tollen. En mam en pap maar meedraaien en woelen. Elk uur vroegen ze 'Gaat het, liefje?' of 'Wat zei ze waar je zo overstuur van bent geworden?' Maar Emma hield haar kaken stijf op elkaar. Gisteren was ze zo opgelucht geweest met de ontdekking dat ze niet bang hoefde te zijn. En toch greep deze nieuwe ontmoeting haar weer compleet bij de keel. Waarom? Kwam het omdat de geest nu zo dichtbij stond? Door de ijskoude aanraking? Of vanwege de smeekbede om hulp? Zachtjes huilend was ze in slaap gevallen. Zonder verdere ongewenste ontmoetingen redde ze het tot de volgende ochtend.

'Goeiemorgen,' zei mam. 'Heb je een beetje kunnen slapen?'

'Gaat wel.' Haar keel voelde aan alsof er een kiezelsteen in bleef steken.

Mam legde een beschermende hand op haar hoofd.

Het zielige geloei van de zwangere koe drong naar binnen. Daar had Emma weinig medelijden meer mee. Haar eigen ellende drukte als een loden last op haar schouders.

'Was ze er weer?' vroeg mam.

Emma durfde haar niet aan te kijken. Ze had geen zin om over de geest te praten. Gisteren hielp dat ook. Het was al erg genoeg dat ze haar nachten verpestte, maar gelukkig was er een manier om er overdag geen last van te hebben. Gewoon negeren. Dit was haar vakantie, háár leven! Ze besloot zich niet meer gek te laten maken. In ieder geval overdag niet. Dat had ze zelf in de hand.

'Gaan we vandaag iets leuks doen?' Ze probeerde het zo luchtig mogelijk te zeggen.

'Emma!' Mams stem klonk dreigend. 'Ik vind het eng als je geesten ziet en er niet over durft te praten. Moet je niet...'

Nee, ze moest helemaal niks! Ze trok haar jurk aan en slofte naar beneden.

In de keuken wachtte Thomas haar met een kwaaie kop op. 'Ben je daar eindelijk? Wat is er met jou aan de hand? Je doet zo raar de laatste dagen!'

'Wat heb ik nou gezegd?' mopperde pap. 'Laat Emma met rust. Je krijgt vroeg genoeg te horen wat er aan de hand is.'

'Nou, ze verpest anders wel mooi onze vakantie! Leuk hoor...' Thomas baalde verschrikkelijk. 'Ik hoop niet dat we nu elke maand dit theater krijgen.'

Verrast keek Emma op. Dacht Thomas dat ze ongesteld was? In zijn klas zaten verschillende meisjes die 'het' ook al waren. Ze hoorde hem er een keer met Goof over praten. 'Je merkt het aan ze,' zei Goof. 'Ze gedragen zich opeens heel anders.' En Goof kon het weten, want hij had twee grote zussen.

'Thomas, ik zou het fijn vinden als je je hier niet mee bemoeit,' zei mam streng.

'Zie je wel,' zei Thomas. 'Ik wist het!'

Pap greep hem bij zijn kraag. 'Wegwezen jij! Eva, kom je? Ik zet de auto vast voor de deur.'

Thomas wist natuurlijk helemaal niets, en dat was maar goed ook! Hij dacht er het zijne maar van. Emma vond het best. Ondertussen hield ze haar ontwijkende tactiek vol. Haar koppigheid was een machtig wapen. Zij dopte haar eigen boontjes wel. 'Gaan we iets leuks doen?' vroeg ze nog een keer hoopvol.

'Misschien vanmiddag,' zei mam. 'Eerst moeten we naar de winkel. De koelkast is leeg. Ga je mee?'

Dat was niet wat ze zich bij iets leuks had voorgesteld. Ze trok een vies gezicht. 'Kunnen we niet gaan zwemmen of naar de dierentuin? Of shoppen in de stad? Ik heb geen zin in de supermarkt.'

'Leuk hoor. De jongens waren al net zo enthousiast. Nou, ík heb geen zin om met een stel mopperende kinderen op pad te gaan. Blijf maar mooi samen thuis.'

Emma schrok. Zou ze dat echt menen? De keren dat pap en mam in Frankrijk alleen op pad gingen, waren op één hand te tellen. Heerlijk vond ze dat tot dan toe! De kids hadden het rijk voor zich alleen. Alles kon. De muziek keihard. De kast met snoep plunderen. Drie glazen cola achter elkaar drinken. Alles wat normaal niet mocht. Maar vandaag? Net nu ze liever de hele dag weg zou willen. Afleiding zoeken aan het water, in een stad, of desnoods in een museum vol oude troep. Het maakte niet uit wat. Als het maar ver weg van het spookhuis was. Even flitste zelfs door haar hoofd dat Nederland misschien toch een goed idee was. Maar dan zou ze echt oorlog met Thomas en Steven krijgen. Die vonden het veel te fijn in Beaumont. Zijzelf ook trouwens. Hoewel het haar op dat moment gestolen kon worden.

'Nou, doe je je schoenen nog aan?' vroeg mam ongeduldig. Ze ging er vast en zeker vanuit dat Emma bij haar in de buurt zou willen blijven.

Ze aarzelde. Wat moest ze doen? Blijven? Meegaan? In

huilen uitbarsten? Keihard gillen? Mooi niet! Ze besloot alle boosheid en angst diep van binnen op te sluiten. Dat viel niet mee, maar ze beet zich erin vast. Mam moest het maar uitzoeken met haar ochtendhumeur!

Pap drukte op de claxon. 'Kom je nog?' riep hij. 'De motor loopt al tien minuten.' Door het keukenraam zag Emma zijn strakke gezicht. Dat was het dus! Pap en mam hadden ruzie. Zou het om haar zijn? Nóg een reden om niet mee te gaan.

'Ik blijf hier,' zei ze met een klein stemmetje.

Mam draaide zich zonder een woord te zeggen om. Ze gooide de voordeur dicht en stapte in de auto.

Pap trapte het gaspedaal extra diep in. Alsof hij de verloren tijd in wilde halen.

Thomas trok met een kwaaie kop de deur achter zich dicht en Steven bladerde stuurs in een stripboek. Wat een rotdag! Iedereen katte tegen elkaar. Dat was het laatste waar ze op zat te wachten. Ze had wel iets anders aan haar hoofd.

Ze sleepte zich moedeloos naar de luie stoel in de tuin. De timmerende specht in de wei en de hoog in de lucht rondcirkelende buizerds konden haar niet boeien. Gisteren dacht ze nog de verschijningen te kunnen negeren, maar dat stomme mens drong steeds dieper haar leven binnen. Nu had ze ook al het humeur van haar ouders vergiftigd. Ze piekerde zich suf hoe ze hiervan verlost kon worden. Het duizelde haar voor de ogen. Ze kon niet meer helder denken. Hier was een extra stel hersens nodig. Nuchtere hersens als die van Anouk. Zij schudde de oplossingen voor de grootste problemen zo uit haar mouw. De ruzie in het volleybalteam, de gebroken antieke stoel bij Noortje thuis, de dubbele afspraak op Anouks verjaardag. Allemaal simpele oplossingen voor lastige toestanden.

Was Anouk maar hier in Beaumont. Emma miste haar

meer dan ooit. Maar haar vriendin zat meer dan achthonderd kilometer verderop, thuis op de boerderij. Als ze nou zelf een geest was, dan vloog ze even op en neer naar Nederland. Ze grinnikte om haar flauwe grap. Leuk bedacht, maar er was niets wat haar vlug even bij Anouk kon brengen. Of toch? Stom dat ze daar niet eerder op gekomen was: paps mobieltje! Hij gebruikte dat ding nooit, maar het stond wel altijd aan. Hij vond dat ze bereikbaar moesten zijn. Voor het geval er iets ergs gebeurde met oma bijvoorbeeld.

Ze haalde paps mobiel uit het laatje en sloop het dorp uit, de velden in. Niet op zoek naar bloemen of pruimen, maar met een geheime missie. Het werd tijd dat ze zelf iets ondernam om een eind aan deze toestand te maken. En Anouk was de enige die kon helpen een oplossing te bedenken.

Midden in een van de bosjes rond Beaumont stond een groot granieten rotsblok. Daar kon ze ongestoord bellen. Zonder door Thomas of Steven betrapt te worden. Onderweg bedacht ze hoe ze het aan zou pakken. Pap had maar een simpel abonnement. Ze moest kort en zakelijk zijn, anders kwam hij er later achter dat ze stiekem gebeld had. Kort en zakelijk, hoe doe je dat? 'Hoi Noek, met Em, ik heb een probleem.' Tja, hoe legde ze dat probleem een-twee-drie uit? Recht voor zijn raap? 'Er zit een geest in mijn slaapkamer die om hulp vraagt, maar ik vind het eng en wil dat ze niet meer terugkomt. Hoe los ik dat op?' Ha, die Anouk zou vast denken dat ze een grapje maakte. Help, wat was dat lastig.

Emma klom boven op het rotsblok. Anouk was een slimme meid. Die had altijd heel snel door wat er aan de hand was. Emma moest het er maar gewoon op wagen. Alleen zou ze er nooit uitkomen. Ze toetste het huisnummer van Anouk in, maar kreeg niet de bekende stem aan de lijn. Het was een of andere Franse dame. Vlug drukte ze haar weg. Wat was dat nou weer? Opeens begreep ze het. Om naar Nederland te bellen moest ze eerst 0031 intoetsen. Goed dat ze het daar laatst aan tafel over hadden gehad.

Bij de volgende poging was het raak. Vijf keer ging de telefoon over voordat er werd opgenomen.

'Hallo, met Mieke de Waard.'

Anouks moeder! Daar had Emma geen rekening mee gehouden. 'Hoi, met Emma. Mag ik Anouk even spreken?'

'Hé Emma, ben je weer thuis?'

'Nee, ik bel vanuit Frankrijk.'

'Gut, wat leuk. Ik zal Anouk vlug gaan roepen.'

De seconden kropen voorbij. Dat zou wat gaan kosten!

'Hoi, Em. Hoe is het in Frankrijk? Hebben jullie mooi weer? Ben je al veel wezen zwemmen? Vertel op!'

Al die vragen, ook daar had Emma geen rekening mee gehouden. 'Eh... ja, het is hier stikheet. We...' Stop! Dit duurde te lang. Hoe zou ze het ook alweer aanpakken? 'Luister, Noek, ik zit in de shit. Je moet me helpen. Uhm... Dit is geen grap, weet je. Daarvoor is zo'n telefoongesprek te duur. Pap weet niet eens dat ik zijn telefoon gebruik, maar het is echt nodig. Ik eh... ik word achtervolgd door een...'

Een onheilspellende piep zong door de telefoon.

'Een wat?' riep Anouk opgewonden (alsof schreeuwen in de telefoon zin had). 'Wie zit je achterna? Je valt steeds weg, Emma.'

Weer die piep. De batterij was bijna leeg! Hoeveel tijd had ze nog? Genoeg om Anouk het probleem uit te leggen en dan nog te wachten op haar oplossing? Emma zag in dat het hopeloos was. Hoe kon ze zo stom zijn om te denken dat haar vriendin met één telefoontje zou begrijpen in wat voor narigheid ze terechtgekomen was? Die zou zich straks de gekste dingen in haar hoofd gaan halen. En dan had ze er nog een probleem bij! 'Nee hoor,' zei ze snel. 'Het is toch een geintje. Ik wou gewoon je stem even horen. Maar nu is mijn batterij leeg. Xieje!'

Ze gaf Anouk geen kans iets terug te zeggen en verbrak de verbinding.

Emma was ten einde raad. Het leek wel of die stomme geest het hele huis behekste. Niets was meer zoals het was. Pap en mam die ruziemaakten, Steven en Thomas die haar negeerden, en zijzelf... Door die mysterieuze verschijningen was ze zichzelf niet meer. De ellende stapelde zich op. Hoe kon ze daar ooit nog uitkomen? Ze barstte in een niet te temmen huilbui uit.

13

Wat volgde waren de verschrikkelijkste dagen uit haar leven. De blauwe geest vergalde de sfeer in huis, zonder dat er hardop over haar gesproken werd. Thomas en Steven mochten niets weten en pap en mam vochten misschien wel de grootste ruzie van hun hele huwelijk uit. Het ene moment knalden de verwijten over de tafel, het andere zaten ze in een ijzingwekkend stilzwijgen met de ruggen naar elkaar. Ze vlogen elkaar wel vaker in de haren, maar dan maakten ze het diezelfde dag nog goed. Deze keer hielden ze de strijd twee dagen vol.

Emma wist niet wat ze erger vond: hun gekissebis of gestalkt worden door een geest. Het vervelendste was dat ze ervan overtuigd was dat zijzelf de oorzaak van de oorlog tussen pap en mam was. Hun gekat ging weliswaar constant over onnozele dingen als wie-wat-doet-in-het-huishouden en welke oma zich het irritantst met het gezin bemoeide, maar ze kon het gevoel niet onderdrukken dat ze het grondig met elkaar oneens waren over hoe ze met haar verschijningen (of fantasieën, zoals pap ze noemde) om moesten gaan.

Emma stond onder hoogspanning. Niet vreemd natuurlijk als je het idee kreeg dat je ouders door jou op scheiden aankoersten! Om niet knettergek te worden, hield ze afstand van de plekken waar haar ouders zaten te mokken. Lili werd haar beste vriendin. Ze kon haar hart heerlijk bij de poes uitstorten. Lili bleef geduldig luisteren. Zolang Emma haar maar kroelde en knuffelde, vond ze alles goed. Dat bewees maar weer eens dat dieren veel trouwere vrienden zijn dan mensen. Alleen jammer dat ze niets terugzeiden.

Het spook hield zich al die dagen gedeisd, alsof ze zelf ook geschrokken was van de spanningen die zij had veroorzaakt.

Thomas en Steven vluchtten het huis uit. Samen met Georges vochten zij hun eigen oorlog met monsieur Argentin. Ze hadden niet in de gaten dat Emma en Lili op de schommelstoel bij Georges in de tuin zaten. Ze sleepten allerlei gereedschap en stokken naar de picknicktafel.

'Zou pap het wel goed vinden dat we die stokken gebruiken?' vroeg Steven.

Thomas snoof. 'Pfff. Volgens mij weet hij niet eens dat ze hier liggen.'

'Au!' Er schoot een dikke splinter in Stevens vinger.

'Shall I cut it off?' vroeg Georges met een brede grijns. Hij hield een scherp mes onder Stevens neus.

Die draaide geschrokken zijn rug naar hem toe.

Georges keek Thomas triomfantelijk aan; tevreden dat hij Steven weer eens op de kast gekregen had. Die twee oudsten spanden steeds meer samen.

Steven zette zijn tanden op elkaar en rukte de splinter uit zijn vinger. Emma zag dat hij pijn had, maar hij liet niets merken. Gelijk had hij. Georges en Thomas zouden hem direct als snotterende baby afmaken.

'Ready,' zei Georges. 'Look.' Met de nodige moeite had hij de pees op de boog gespannen en probeerde hem uit. Plok.

'Klinkt goed,' zei Steven. 'Zullen we hem gaan proberen?'

'Come,' zei Georges, alsof hij het begrepen had. Hij kende een plek waar ze konden oefenen.

Emma volgde de jongens uit nieuwsgierigheid. De afleiding deed haar goed.

Georges leidde hen langs het kasteel, het dorp uit. In een wei lagen grote rollen met hooi. Een hele stapel van wel zes meter hoog en twintig meter breed. Georges opende het hek en rende naar het hooi. Hij hing een zelfgemaakte schietschijf op. Thomas mat twintig passen de wei in.

'I go first,' riep Georges. Hij griste een pijl uit Stevens hand en zette hem op de boog. De pijl plofte halfweg de hooirollen in de grond.

'Niet zo,' zei Steven. 'Look.' Hij pakte de boog af en legde er een pijl op. 'Zo moet dat.' Hij was de expert. Een paar maanden geleden had hij met pap een middeleeuws feest bezocht, waar hij schietlessen kreeg. Hij hield de boog professioneel op ooghoogte, strekte zijn linkerarm en trok de pijl met zijn rechterhand tot naast zijn oor. Maar het resultaat was niet geweldig. De pijl vloog meters naast de schietschijf het hooi in. 'Het zijn ook geen echte pijlen,' mopperde hij. 'We moeten iets dichterbij gaan staan.'

'Nou ik,' zei Thomas. Hij zette een paar passen naar voren. Zijn schot miste het doel op een haar. 'Machtig mooi, man, zo'n boog!' riep hij triomfantelijk.

'We zeggen niks tegen mam, hè,' zei Steven. 'Dat we een echte pijl en boog hebben.'

'Mam?' Er klonk boosheid in Thomas' stem. 'Die ziet ons niet meer staan sinds ze ruzie met pap heeft en sinds...' Hij keek Emma met een scheef oog aan. 'Wij tellen niet meer mee. Dus gaan we gewoon onze eigen gang.'

'Precies!' zei Steven.

Om de beurt schoten ze hun pijlen af. Steeds vaker raakten ze de schietschijf.

Op een gegeven moment haalde Georges een geintje met Steven uit. Juist toen die wilde schieten, kietelde hij hem in zijn zij. De pijl vloog over het hooi heen.

'Rotjoch,' zei Steven. 'Ga hem zelf maar halen. En ik mag nog een keer!'

'Doe het zelf,' zei Thomas uitdagend.

Georges viel hem bij: 'It's your fault. You go search for it.'

Mokkend liep Steven om de berg hooibalen heen.

Even later stormde hij als een idioot weer terug, zonder pijl. 'Wegwezen!' gilde hij in paniek. 'De boze buurman komt eraan.'

'Quoi?' vroeg Georges.

'Monsieur Argentin,' verduidelijkte Thomas.

'O, o, we are on his land. Let's go.'

Ze vluchtten naar het huis van Georges. De deur ging op slot en de ramen dicht. Lachend van de zenuwen vielen ze op de bank.

Thomas zwaaide zichzelf met zijn pet koelte toe. 'Die gek duikt op de vreemdste plekken op. Wat was hij aan het doen?'

'Een kuil aan het graven,' zei Steven. 'Midden in de wei, in zijn dikke, blote buik. Er lag een hele stapel grond en keien naast de kuil. Toen hij me zag, begon hij te schelden.'

'Hoe wist je dat hij schold?' vroeg Emma.

'Je hoeft geen Fransman te zijn om dat te begrijpen. Man, wat ging hij tekeer.'

'Quoi?' Georges snapte er niets van.

'Argentin was digging a hole,' legde Thomas uit. 'He was very angry at Steven.'

De buurman was nog steeds boos. Hij had zijn hemd aangetrokken en was de kinderen gevolgd. Woedend bonkte hij op de deur. 'Ouvrir!' Argentin blafte nog harder dan Rambo.

Geen van allen verroerde een vin.

Na een tijdje gaf Argentin het op. Vloekend en tierend vertrok hij weer. Rambo volgde hem vrolijk blaffend.

'I hate him,' zei Georges zacht.

'Ik haat hem ook,' beaamde Steven. 'Tjonge, wat schrok ik.'

'We moeten die chagrijnige vent eens een echt lesje leren,' vond Thomas. 'We must learn him a les!'

Georges begreep hem niet. 'What?'

Met handen en voeten legde Thomas uit wat hij bedoelde. Georges was het roerend met hem eens. De hondenpoep had niet veel uitgehaald, behalve misschien dat Argentin een nóg grotere hekel aan hen gekregen had. Het was tijd voor hardere actie. De jongens besloten monsieur Argentin te grazen te nemen. En Georges wist ook al hoe.

'Maar vandaag niet meer,' zei Thomas. 'Not today. We must do it when he does not expect. Tomorrow we take wraak!'

Die wraak werd nog een dag extra uitgesteld, omdat pap de volgende ochtend meedeelde dat ze samen een uitstapje gingen maken. Met de nadruk op 'samen'. Hij was het geruzie met mam beu en hoopte met een avontuur de sfeer op te krikken.

'We gaan iets nieuws bekijken,' zei pap. 'De Steen Met De Negen Treden.' Het klonk alsof hij het met hoofdletters uitsprak. 'Dat was een prehistorische offerplaats. Het schijnt echt spectaculair te zijn.'

'Ik dacht dat we iets nieuws gingen zien,' zei Thomas droog. 'Die kei is nog ouder dan alle museums en kerken bij elkaar!'

'Wacht maar af,' zei pap geheimzinnig. 'Jij gaat dit ook leuk vinden. Hij ligt boven op een berg, waar je lekker kunt ravotten.'

'Mag Georges ook mee?' vroeg Thomas.

'Ja hoor, haal hem maar vlug.'

Wonder boven wonder stapte iedereen zonder mokken in de auto. Ze hoopten allemaal dat de lucht zou opklaren door weer eens iets samen te ondernemen.

Onderweg vertelde pap aan één stuk door over oermensen die lang geleden in de Limousin woonden, over hun primitieve leven van jagen en verzamelen en over de contacten met hun voorouders en de goden. Hij had in een boekje zo'n heilige plek ontdekt en daar moesten ze dus naartoe.

Ze lieten pap maar praten. Alles was beter dan een dreigende stilte tussen hem en mam. Halfweg haakte Emma af en viel ze in slaap. De geest had zich gelukkig ook die nacht niet laten zien of horen. De onvoorspelbaarheid van de verschijningen vrat aan haar. De blauwe vrouw kwam als ze er het minst op verdacht was. Ze sliep licht en ze schrok regelmatig wakker om te checken of ze nog alleen op haar kamer was. Niet vreemd dus dat ze in de auto wegdommelde.

Pap trapte hard op de rem. Maar goed dat ze een riem om had, anders was ze vast en zeker tegen mams stoel aan geknald.

'Wat is dat?' vroeg pap zich hardop af. Hij tuurde naar een bordje langs de weg. 'Een necropool? Waarom heb ik daar nog nooit van gehoord?'

'Wat is een necropool?' wilde Steven weten.

'Letterlijk betekent het "dodenstad", een oude begraafplaats dus.'

'Die hebben we thuis ook,' zei mam. 'Rij nou maar door.'

'Nee,' zei pap, koppig als hij zijn kon. 'In Beaumont en alle andere dorpen noemen ze dat cimétière, gewoon begraafplaats dus. Bovendien staat het symbool voor een bezienswaardigheid op het bord. Dit moet iets ouds en bijzonders zijn.'

'Hè Mark, moet dat nou?' mopperde Thomas. 'We zijn op vakantie, weet je nog!'

'Juist daarom,' zei pap. 'Op vakantie moet je het avontuur opzoeken.'

Emma vond dat ze haar portie avontuur al voor de komende tien jaar had gehad. Maar ze hield wijselijk haar mond.

Pap draaide langzaam het zandweggetje op.

'Stop hier maar,' zei mam. Ze had geen zin om met pap te bekvechten over een bezoek aan zijn kerkhof. 'Als je straks niet kunt keren, moet je dat hele hobbelpad achteruit terugrijden. En je weet hoe goed je daarin bent...'

Pap parkeerde de auto in de berm.

Bij het uitstappen viel een dikke regendruppel op Emma's arm. De lucht hing vol laaghangende, grijze wolken, maar het was te benauwd om een jas aan te doen.

'Kom, het kan nooit ver weg zijn,' zei pap. Samen met Steven ging hij voorop, een donker bos in. Het leek wel een sprookjesbos, onheilspellend stil en vol grillige bomen. Sommige waren van boven tot onder bekleed met zilvergrijs mos. Ze liepen heuvel op, heuvel af over een vaag pad dat veerde als een nieuwe matras. Thomas en Georges voerden er een wilde indianendans op uit.

Na een kwartier was er nog geen spoor van de dodenstad te vinden. In de verte rommelde het onweer.

'Ik geloof dat we in cirkeltjes ronddraaien,' zei mam.

'Nee hoor,' zei pap. 'We zijn er bijna. Vertrouw me nou maar.'

In een dalletje in het bos kabbelde een modderig stroompje. Pap en Steven hupten van steen op graspol naar de overkant.

'Ik weet niet wat jullie doen,' zei mam, 'maar daar ga ik niet met mijn goede schoenen doorheen.'

Thomas sputterde tegen. 'Hè Eva, doe niet zo flauw. Mark had gelijk: dit is een fantastisch avontuur! Dit is het spannendste bos ooit. What you say, Georges?'

De brede grijns van Georges sprak boekdelen. 'It's nice.'

'Nou, jullie liever dan ik,' zei mam stug. 'Ik draai om. Ga je mee, Emma?'

Emma dacht er net zo over. Het onweer kwam dichterbij en er kletterden steeds meer druppels op het bladerdek.

'Thomas,' zei mam, 'haal de autosleutel even bij pap.'

Thomas banjerde dwars door de modder achter pap en Steven aan en kwam even later terug met de sleutel. 'Moet ik nog wat botjes voor je meenemen?' riep hij, terwijl hij weer tussen de bomen verdween.

'Weet jij de weg terug nog, mam?' vroeg Emma. Met pap erbij verdwaalden ze nooit. Die had een ingebouwd kompas in zijn hoofd en vond altijd en overal de juiste weg. Als ze met mam in de stad ging winkelen, kwamen ze soms helemaal in een groezelige buitenwijk terecht.

Dat gebeurde nu niet. Maar goed ook, want de regen begon door de bladeren heen te druppelen. IJskoude spetters die zich door haar shirt heen zogen. Het onweer bleef voorlopig achter de heuvels hangen. Ze haastten zich terug, in de hoop droog te zitten voordat de bui losbarstte.

'Laat die stoere mannen maar verzuipen,' zei mam.

'Ben je nou nog steeds boos op pap?' vroeg Emma bezorgd.

'Mmmm.'

Wat was dat nou weer voor antwoord? 'Het heeft zo wel lang genoeg geduurd,' zei ze.

Mam schoot in de lach. 'Ach meisje,' zei ze, 'wees maar niet bang. Het waait wel weer over, net als het onweer.'

'Jaja.' Ze zei maar niet wat ze op dat moment dacht. Dat

het met de ouders van Nienke zo ook begonnen was. En die waren nu toch écht gescheiden.

Zwijgend liepen ze verder. Emma realiseerde zich opeens dat zo'n scheiding nog veel erger was dan achtervolgd te worden door een spookverschijning. Dát zou pas een ramp zijn. Ze hoefde alleen maar naar Nienke te kijken. Die beweerde dat er niks aan de hand was, maar de hele klas zag dat dat niet waar was.

'Nee, gekkie,' zei mam opeens, 'allicht komt het weer goed. Je weet toch hoeveel we van elkaar houden! Ik maak me veel meer zorgen om jou.'

Emma hield haar adem in.

'Hoe is het nu?' vroeg mam. 'Nu we even alleen zijn, kun je het me toch wel vertellen?'

Daar had je het! Emma's vermoeden bleek waar. Pap en mam maakten ruzie om haar en haar vreemde kuren. Als ze niet snel normaal deed, bleven ze elkaar in de haren vliegen. Als ze dan toch uit elkaar zouden gaan, dan was het haar schuld...

'Goed,' zei ze snel. 'Er is niets meer aan de hand. Kijk, daar staat de auto al. Laten we rennen, voordat we echt nat worden.'

Hijgend kwamen ze bij de auto. Mam klikte de deur van het slot.

Plotseling vlogen er drie wildemannen uit de struiken.

Ze schrok zich rot! Tot ze zag dat het Thomas, Georges en Steven waren. 'Stomkoppen,' gilde ze. 'Kunnen jullie niks leukers bedenken?'

'Nee,' zei Thomas met een brede grijns, 'dit vond ik al leuk genoeg.'

'Waar komen jullie nou vandaan?' vroeg mam.

Nu stapte ook pap uit de struiken. 'We zitten hier al vijf

minuten te wachten,' zei hij. 'Jullie hebben een enorme omweg gemaakt.'

'En heb je je necropool gevonden?' wilde mam weten.

'Ja,' zei Steven proestend, 'hier honderd meter verderop in het bos.'

'Lachen, man!' vulde Thomas aan. 'Het was écht een bijzonder kerkhof. Met een eend en een snoek en nog veel meer.' Hij graaide het fototoestel uit paps handen. 'Moet je kijken!'

Op de foto's stonden allemaal roestende autowrakken, overwoekerd door struiken en bomen.

'Wel twintig auto's bij elkaar,' zei Thomas opgewonden. 'Ik heb nog geprobeerd het stuur uit de snoek te slopen, maar dat zat muurvast.'

'Moeten ze daar nou speciaal een bordje voor neerzetten?' vroeg mam.

'Ik denk dat we een verkeerde afslag hebben genomen,' zei pap. 'Maar dit was ook een leuke bezienswaardigheid. Willen jullie nog gaan kijken?'

'Nee, dank je,' zei mam. 'Ik ben al nat genoeg. Als het zo meteen bij je grote keien nog steeds regent, dan mag je die ook alleen gaan bewonderen.'

Emma rilde. Niet van de kou, maar omdat dit toch weer een vervelende knauw van mam was. Ze besloot zich niets meer van die blauwe geest aan te trekken. Alles zou ze eraan doen om pap en mam bij elkaar te houden! 'Zullen we verdergaan?' zei ze opgewekt.

De parkeerplaats bij De Steen Met De Negen Treden was helemaal leeg. Niet vreemd, want het motregende nu voortdurend.

'Wat doen we?' vroeg pap.

Emma zag aan zijn blik dat hij mam haar zin zou geven.

'Ik weet het niet,' zei mam. 'We hebben dat hele roteind gereden en nu is het pokkenweer. Weet je zeker dat het de moeite waard is?'

'Volgens dat boek is het een bijzondere rotspartij. Die negen treden zijn er duizenden jaren geleden ingehakt.'

'Stom,' zei Thomas, 'als ik trappen wil lopen, doe ik dat thuis wel. Daar hebben we wel meer dan negen treden.'

'Ik wil het wel zien,' zei Steven. Dat was geen verrassing.

Mam keek Emma recht aan. Haar gemaakte glimlach zag er schaapachtig uit, maar mam trapte erin.

'Nou vooruit,' gaf ze toe. 'Jassen aan, paraplu mee.'

Het was een stevige klim, over een smal paadje de berg op. Thomas verdween al in het donkere bos en ook Steven en Georges renden vooruit. Halfweg begon het steeds harder te druppelen, maar ze hadden nu eenmaal besloten te gaan kijken. Gelukkig voor pap was het inderdaad de moeite waard. De berg lag bezaaid met grote keien, sommige wel drie meter hoog. Een paar lagen als hunebedden op elkaar gestapeld, en in veel rotsblokken zaten poeltjes water. Boven op De Steen Met De Negen Treden was zelfs een systeem van poeltjes die door een gat in de rots met elkaar verbonden waren.

'Zijn dat drinkbakken?' vroeg Steven.

Pap aarzelde. 'Misschien zijn ze op natuurlijke wijze uitgesleten, maar ze kunnen ook door mensen uitgehakt zijn. En dan niet als drinkbakken. Het zouden best offerplaatsen kunnen zijn. Kijk,' wees hij, 'dan legden ze hier een beest neer om het te kelen. Het bloed vingen ze op in dat bekken.'

'Offerden ze alleen beesten, of ook mensen?' Het kon Thomas niet gruwelijk genoeg zijn.

'Zou kunnen,' zei pap. 'Dat zullen we wel nooit met zekerheid kunnen zeggen. Het enige bewijs dat we hebben, zijn deze stenen. Bijzonder is wel dat je hier in de buurt meer van dit soort rotspartijen vindt.'

'Staan blijven,' zei mam. 'Ik maak een foto van jullie.' Ze liep de negen treden af en legde om het fototoestel uit de tas te pakken de paraplu op een grote kei. De paraplu gleed weg en rolde de helling af. Midden in de braamstruiken bleef hij liggen.

'Ik haal hem wel,' zei Thomas. Hij vond het een uitdaging om die steile helling af te dalen. Na een paar meter zat hij echter al onder de krassen van de doorns. Hij tuurde rond om te onderzoeken hoe hij het beste verder kon.

'Laat maar,' zei mam. 'Daar is geen doorkomen aan. Bovendien was die paraplu al kapot en nat zijn we toch.'

Het kon trouwens nog natter. De regen ging nu over in een stortbui.

Mam borg het fototoestel vlug op. 'Ik heb het wel gezien,' zei ze. 'We gaan, voordat het pad één blubberpoel is.'

Op de terugweg naar de parkeerplaats raakten ook de laatste draadjes aan hun lijf doorweekt.

De ramen in de auto besloegen van de dampen die ze uitstootten. Met een muziekje op de achtergrond reden ze weer naar huis. Niemand zei een woord.

Vlak voor Beaumont braken de wolken weer open.

'Het lijkt erop dat we kunnen barbecueën,' zei mam.

'Lekker!' gromde Thomas. Hij was dol op barbecues.

Voor het eerst in twee dagen was het weer een beetje gezellig aan tafel. Zoals gewoonlijk had mam veel te veel klaargemaakt. En toch ging alles schoon op. Pap propte het laatste worstje naar binnen.

Het spreekwoord 'de liefde gaat door de maag' gold die

avond meer dan ooit. Pap en mam katten nog steeds op elkaar, maar nu op een krolse manier; hun nagels niet meer scherp uitgestoken.

'Ik plof,' zei mam. 'Wat hebben we lang aan tafel gezeten. Het schemert al. Als je nog een kampvuur wilt maken, moet je snel zijn.'

Pap voelde aan zijn buik. Eigenlijk had hij geen puf meer om een vuurtje op te bouwen, maar belofte maakte schuld. 'Vlug opruimen, jullie!' zei hij. 'Afwassen doen we morgenvroeg wel.' Met moeite hees hij zich uit zijn stoel en liep naar de schuur om hout te halen.

'De houtskool van de barbecue gloeit nog. Misschien kun je die gebruiken om het vuur aan te steken,' stelde mam voor.

Pap trok een beledigd gezicht. 'Wie is hier de kampvuurspecialist? Acht jaar scouting, mevrouw! Vertel mij niet hoe ik een fikkie moet stoken.'

'Oké, hopman, je gaat je gang maar. Zullen wij dan toch even afwassen?'

'We hoefden alleen maar op te ruimen van pap,' klaagde Thomas. 'Bekijk het maar.'

'Tjonge, wat heb ik toch een stel koppige kerels in huis,' mopperde mam. 'Weet je wat? Zoek het allemaal maar lekker uit. Ik verzet geen stap meer. Van hieraf kan ik goed bekijken hoe jullie vuur maken en opruimen. Ga je gang!'

Wie niet beter wist zou denken dat ze nog steeds sikkeneurig was, maar Emma zag tot haar opluchting dat het weer goed zat. Dit hoorde allemaal bij het spel om pap om haar vingers te winden. Als mam zo nog even doorging, zou hij voor haar zelfs een hartje en hun namen in de maan krassen. Anders gruwelde ze als haar ouders zo klef deden, maar nu rook ze haar kans. Als ze zich van haar beste kant liet zien, zouden ze vast vergeten hoe vreemd ze zich de laatste dagen gedragen had. Dus sprong ze op en graaide de vorken en messen bij elkaar. Zingend deed ze de afwas en zette een fluitketel met water voor de koffie op het fornuis. Ze wist wel hoe ze pap en mam gunstig kon stemmen! Een koekje erbij en – vooruit dan maar – ook chocomelk voor de jongens en zichzelf. Ze bracht een vol dienblad naar buiten.

De rest zat al rond de stookplaats. Georges ook. Paps wigwam van takken vatte juist vlam. Net als de hemel aan de horizon. Daar kleurden de condensstrepen van de vliegtuigen rozerood van de zon die achter de heuvels verdwenen was. Het was een prachtgezicht.

'Och, schatje, heb je koffiegezet? Heerlijk!' Mam nam het dienblad over.

'Heb je geen chocomelk voor Georges meegenomen?' vroeg Thomas.

'Nee, ik ben jou vergeten! Nou goed?'

'Ik loop wel even,' zei mam. 'Ga maar lekker bij het vuur zitten.'

'Op het afscheidskamp van groep 8 hadden we een veel groter vuur,' vertelde Thomas. 'Elke avond. Gaaf, man. Meester Paul speelde op zijn gitaar, "Een Nederlandse Amerikaan", "Cowboy Billy", "Mijn tante in Marokko".'

'Ik verheug me nu al op volgend jaar,' zei Emma. 'Zouden wij naar dezelfde blokhut gaan?'

'Heb ik al eens verteld over de spooktocht op mijn afscheidskamp?' vroeg pap.

'Mark,' waarschuwde mam, 'denk erom wat je beloofd hebt!'

Emma begreep wel wat ze hadden afgesproken: voorlopig geen griezelverhalen meer. Ze waren vast bang dat zij daar nachtmerries van kreeg. Dus gooide pap het over een andere boeg. Hij begon moppen te tappen. Dezelfde grappen die hij en zijn broers op oudjaar tegen elkaar vertelden, elk jaar opnieuw. Omdat Georges erbij zat, vertaalde hij ze, half in het Frans, half in het Engels. En dat was pas écht leuk, want het werd één grote spraakverwarring.

14

Emma was opgelucht dat de vrede in huis was teruggekeerd. Ze vond genoeg afleiding om geen last meer te hebben van de geestverschijningen. Diep vanbinnen bleef er wel wat knagen, maar ze gaf er niet meer aan toe. Die blauwe vrouw had al veel te lang haar humeur verpest, en indirect ook dat van pap en mam en haar broers. Nu vond ze het genoeg! Haar strategie hielp, niet alleen omdat ze 's nachts met rust gelaten werd. Ook overdag was de sfeer weer oké. Pap en mam maakten de verloren tijd goed. Ze cirkelden de hele tijd dicht om elkaar heen en hadden geen tijd voor lastige vragen over nachtelijke verschijningen.

En Emma? Die deed weer leuke dingen met de jongens. Wraak nemen op de boze buurman bijvoorbeeld. Georges en Thomas hadden een plan bedacht dat niet mis kon gaan (zeiden ze).

'We go fishing.'

'Emma, vraag jij aan Mark en Eva of ze dat goedvinden?' zei Thomas. 'Bij jou zeggen ze niet zo vlug nee.'

Ze vond hun ouders in de tuin, waar ze het onkruid uit het bloemenperk wiedden. 'Mogen we gaan vissen?' vroeg ze met een engelengezichtje.

'Alleen als je een vette forel voor me vangt,' zei pap. 'Enne... niet per ongeluk in de rivier vallen en gaan zwemmen, hè!'

'Natuurlijk niet.'

Meneer Argentin was naar de stad vertrokken voor zijn wekelijkse zakenafspraken. Céline werkte nog steeds op de camping bij het meer. Het kasteel lag er dus verlaten bij en de kust was veilig, maar Georges vond een extra zekerheid nodig.

'We need a garde,' zei hij. 'And I know who must do it.' Hij prikte Steven hard in zijn buik.

'Wat moet ik doen?' vroeg Steven achterdochtig.

'Jij krijgt de belangrijkste taak die er is,' zei Thomas. 'Jij moet op de uitkijk staan en ons waarschuwen als het misgaat.'

'Ja, ik ben niet gek! Laat Emma dat maar doen. Zij is een meisje.'

'Waar slaat dat nou weer op?' viel Emma uit. Om elke andere reden zou ze misschien overwogen hebben op wacht te gaan staan, maar dit was het stomste wat Steven had kunnen bedenken. Nu was het drie tegen een. Hij had geen keus.

Mokkend haalde hij een paar Asterix-boeken en ging onder de lindeboom tegenover het kasteel zitten. 'Wat moet ik doen als Argentin thuiskomt?'

Thomas dacht even na. 'Dan doe je net of je iets leuks leest. Je lacht en roept "Die vis is niet vers!" Zo hard dat wij het aan de andere kant van het kasteel kunnen horen.'

De drie oudsten vertrokken met een emmer en het gerepareerde schepnet richting de rivier. Maar daar zouden ze die dag niet komen. Georges had een route uitgestippeld door de velden en bossen naar de achterkant van het terrein van meneer Argentin. Hij wilde niet het risico lopen dat iemand hen de kasteeltuin in zag gaan.

Het viel niet mee om door de bramenhaag te klimmen. Vol krassen en schrammen kwamen ze bij Argentins visvijver, een rechthoekig bassin met een bubbelende pomp. De vijver lag gelukkig in een beschutte hoek, waar niemand zicht op had.

'Let's go fishing,' zei Georges met een grijns. Hij schepte de emmer vol met water. Het eerst zo rustige water veranderde in een bruisende poel. Emma en Thomas waren stomverbaasd bij het zien van zo veel forellen. De vissen schoten heen en weer. Sommige sprongen door de lucht.

Georges haalde het schepnet door de vijver. Hij hengelde net zolang tot hij een dikke forel ophaalde. Hij hield het net boven de emmer en schudde de vis erin. Dat deed hij wel erg handig.

'Do you do this more?'

Georges gaf geen antwoord. Geconcentreerd ging hij verder met zijn werk.

Toen hij de tweede forel in de emmer gooide, keek hij vreemd op. 'Where is the fish?'

De emmer was leeg. Een meter verderop lag de vis in het gras. Happend naar adem, zijn staart zachtjes heen en weer flappend. Hij moest met een sprong uit de emmer zijn ontsnapt.

'Get him,' beval Georges.

'I?' vroeg Emma met een vies gezicht. Wilde hij echt dat zij die spartelende glibber beetpakte? Ze gruwde bij het idee. Vis hoorde toch al niet tot haar favoriete maaltijden. Alleen als er een knapperig korstje omheen zat vond ze het wel lekker, maar de zin in een lekkerbekje verging haar bij het zien van dit om zijn leven vechtende beest.

'Dumbo!' spotte Georges. 'Thomas, you do it.'

Thomas had er ook niet veel trek in. 'How?' vroeg hij, maar hij maakte geen aanstalten om iets te proberen.

Georges grijnsde. 'Okay, I will do it!'

Emma verdacht hem ervan het hun eerst gevraagd te hebben, zodat hij weer een streepje op zijn lijstje 'heldhaftigheid' erbij kon zetten. Het was niet de eerste keer dat hij zichzelf belangrijk maakte. En trouwens ook niet de eerste keer dat hij liet zien anders tegen de natuur aan te kijken dan zijn Nederlandse vrienden. 'It's only a dumb animal,' zei hij. Hij gooide eerst de forel uit het schepnet in de emmer en greep de andere met zijn blote handen beet. Voor hij hem in de emmer liet glippen, was nummer twee er alweer uitgesprongen.

Emma kon het niet langer aanzien, die arme spartelende vissen. Haar maag keerde om. Ze klauterde kokhalzend over de struiken, terug naar het pad om daar te wachten tot Georges klaar was. Het kon haar niet schelen dat hij haar uitlachte.

Thomas bleef wel staan kijken. Hij had een reputatie van stoerheid op te houden.

Het leek een eeuwigheid te duren voordat de jongens met een klotsende emmer over de heg klommen.

'Tiens,' zei Georges en hij gaf Emma de emmer aan.

Met tegenzin pakte ze hem aan. Er dreven vijf dode forellen in. Hun ogen staarden levenloos naar de hemel.

'Waarom zo veel?' vroeg ze.

'Om Argentin te pesten, weet je nog,' zei Thomas. 'Wij krijgen er ieder een, en Georges houdt er een voor zichzelf en een voor Lili.'

Op de terugweg kletste Georges aan één stuk door. Hij was opgewonden over de poets die ze meneer Argentin gebakken hadden. Vijf van zijn vetste vissen geroofd! En het ging best makkelijk. 'Maybe I go fishing every week.' Over Emma's zwakheid zweeg hij, ook toen ze bij Steven aankwamen.

Die haalde zijn neus op bij het zien van de vangst. 'Ik hou niet van forel.' Hij was nog steeds beledigd dat hij op het muurtje met zijn Asterix-boek had moeten achterblijven.

Georges haalde twee forellen uit de emmer om ze naar huis te brengen. 'See you later.'

Daar stonden ze met hun vis.

'Denk je dat pap en mam blij zijn met onze vangst?' vroeg Emma.

'Die vis stinkt,' zei Steven. 'Pas maar op dat je niet net als Kostunrix ruzie krijgt.'

Thomas proestte het uit.

'Wat hebben jullie toch met stinkende vis?' vroeg Emma zich af.

'Heb jij nooit Asterix gelezen?'

'Nee.'

'Daar wordt altijd ruziegemaakt om de rotte vis van Kostunrix,' legde Steven uit. 'Het hele dorp begint dan te knokken.'

Ze zuchtte. 'Mannen...'

'Kom,' zei Thomas, 'we brengen de vis weg. Dan kunnen we verder spelen.'

Binnen was het rustig. Pap lag te dutten op de bank en mam bladerde gedachteloos door een tijdschrift.

'Hier is je forel!' Thomas probeerde enthousiast te klinken.

Maar mam trok een vies gezicht. 'Getver, moet ik dat klaarmaken? Ik weet niet hoe dat moet. De visboer verkoopt ze panklaar.'

Slaperig kwam pap overeind. 'Knap dat je zulke grote joekels gevangen hebt. Wat de visboer kan, moeten wij toch ook kunnen?'

'Dank je de koekoek. Maak jij ze dan maar schoon.'

Nu trok ook pap een zuur gezicht.

Thomas haalde zijn schouders op. 'Ik zie het al,' zei hij. 'Ik breng de vis wel naar Lili.'

'Wie?' vroeg pap.

'De kat van de buren.'

'Ga je haar zo'n heerlijke vis geven?'

'Ja, waarom niet? Als ze wil, mag ze ze alle drie hebben.'

'Breng ze dan maar naar de familie Lascoux,' zei pap. 'Ik heb er toch niet zo'n zin in. Zeg maar "Pour vous". Dat betekent: alsjeblieft, voor jullie.'

Emma vond het niet erg dat pap net zo'n schijtlaars was als de rest. Ze hoefde niet te weten wat er allemaal bij kwam kijken om die vissen schoon te maken.

'Wie gaat er mee?' vroeg Thomas. 'Dan brengen we ze weg voordat Georges het merkt.'

'En Lili dan?' vroeg Steven.

'Die krijgt er al een van Georges. Als ze daarna nog honger heeft, moet ze maar op muizenjacht.'

Het erf van Lascoux lag er verlaten bij. De keukendeur stond wagenwijd open, maar er was niemand binnen.

'Bonjour,' riepen ze om het hardst.

De grote staldeur draaide open. Meneer Lascoux zwaaide de kinderen toe met zijn pet. Een koe met zware uiers stapte achter hem aan. Ze loeide zachtjes.

Steven stootte Emma aan. 'Dat is de koe die een kalf moet krijgen. Ik hoor het aan haar geloei.'

'Zo te zien zit er geen kalf meer in haar buik,' zei Thomas.

'Bonjour.' De buurman gaf hun een hand.

'Bonjour,' antwoordden ze in koor.

'Waar is de baby?' vroeg Steven.

Meneer Lascoux trok zijn wenkbrauwen op. 'Bébé? Quel bébé?'

Steven wees naar de koe: 'No baby?'

'Ah. Il est en Italie.' De buurman wees met zijn arm naar de heuvels.

Ze snapten er niks van. Maar Steven moest en zou weten wat er met het beest aan de hand was. 'Ik ga pap halen,' riep hij.

Thomas hield de emmer omhoog: 'Pour vous.'

Blij verrast bewonderde meneer Lascoux de vissen. 'C'est pour nous? Merci bien! Porte-les à l'intérieur,' zei hij. Hij knikte met zijn hoofd naar het huis.

Thomas en Emma brachten de emmer naar binnen. Daar slofte mevrouw Lascoux door de keuken.

'Entrez!' zei ze. Haar ogen straalden toen ze het cadeau zag. Ze kregen een kus en een pak koekjes. Madame kwebbelde aan één stuk door.

Eigenlijk wilden ze meteen terug naar huis, maar het was onbeleefd om te vertrekken als iemand tegen je praatte, ook al verstond je er geen snars van. Dus bleven ze braaf luisteren naar haar waterval van woorden.

De buurvrouw haalde een vis uit de emmer, legde hem op het aanrecht en pakte een groot mes. Met één klap hakte ze de kop eraf.

Emma's maag draaide zich om. Beleefd of onbeleefd, nu moest ze echt weg, en Thomas dacht er net zo over. Ze mompelden 'Au revoir' en renden naar buiten.

Op het erf stonden meneer Lascoux, pap en Steven hartelijk te lachen. Even meende Emma dat ze haar uitlachten, maar ze konden niets van de vlucht uit de keuken hebben gemerkt.

'Moet je horen,' riep Steven. 'Pap had het helemaal verkeerd begrepen van die koe. De sufkop.'

'Haar stierkalfje is al maanden geleden geboren,' vertelde pap. 'De buurman heeft hem aan een boer in Italië verkocht om vet te mesten. Maar het kalf dronk nog bij zijn moeder. Toen hij weg was, kon ze haar melk niet meer kwijt. De buurman tapte elke dag een beetje melk af om te voorkomen dat de uiers knapten. Niet teveel, want dan blijft een koe melk maken.'

'Lust de buurman geen melk?' wilde Steven weten.

'Jawel, maar zijn koeien zijn niet bedoeld om melk te produceren. Ze worden gefokt voor het vlees. De koe had het moeilijk omdat haar uiers vol zaten en pijn deden. Daarom loeide ze in het begin zo hard. Nu is de ergste druk eraf en mag ze weer de wei in.' Pap schoot weer in de lach. 'Misschien moet ik maar eens een cursus Frans gaan volgen.'

Emma keek vreemd op. Ze dacht dat pap zo goed Frans sprak. Mooi niet dus.

15

De geest vervaagde tot een nare herinnering. Nog één keer begon pap erover. Toen Emma vertelde dat ze geen last meer van haar had, zei hij triomfantelijk: 'Zie je wel, ik zei de hele tijd al dat het pure fantasie was. Dat heb je van mij geërfd.'

Ze geloofde hem bijna. Misschien wel omdat ze o zo graag wilde dat hij gelijk had. Maar natuurlijk zou ze zichzelf daarmee voor de gek houden. De geest was echt. Net zo echt als de munt die ze gevonden had. En dan kon pap wel net doen alsof ze eerst die munt had gevonden en pas daarna de geest erbij verzonnen had. Zíj wist wel beter!

Zolang de blauwe vrouw haar met rust liet, vond ze het echter best. Emma had het heft in eigen hand genomen. In haar leven was geen plaats meer voor geesten en dat straalde ze met alle kracht uit. Zo nam de vakantie weer zijn vertrouwde vormen aan. De dagen regen zich aaneen met lange wandelingen door de velden en bossen, zwempartijen, uitstapjes naar rommelmarkten in onbekende dorpjes, bezoekjes aan pannenkoekenrestaurants en dolle spelletjes met Georges. Het enige waar ze zich niet zo gemakkelijk bij voelde, was de oorlog met monsieur Argentin. Zeker toen die een nieuwe fase inging.

Het gebeurde op een gloeiend hete dag. Zo heet dat zelfs het water in het meer geen afkoeling meer bood.

'Zullen we naar Rocherolles gaan?' stelde Thomas voor. 'Het water van de rivier is veel koeler.'

Vorig jaar hadden ze een goddelijke plek bij de spoorbrug van Rocherolles ontdekt. De rivier sneed er door een kloof van wel vijftien meter diep. De ene stroomversnelling volgde op de andere. Het zag er veel gevaarlijker uit dan de rivier in het dal bij Beaumont, maar in een bocht bevond zich een kleine baai, waar het water bijna stilstond en zo ondiep was dat mam het veilig vond om in te baden. Daarnaast bevond zich een oude ruïne. Het huisje was lang geleden aan de natuur teruggegeven. Midden in de vroegere woonkamer stond nu een dikke eik en de muren werden door struiken overwoekerd.

Georges keek zijn ogen uit. Hier was hij nog nooit geweest, terwijl het nog geen vijftien kilometer lag van het dorp waar hij geboren was!

Pap en mam installeerden zich op de open bemoste plek onder de bomen bij de ruïne. Zij vonden het water te koud om ook maar te pootjebaden. Pap fantaseerde graag wie er vroeger in het huis langs de rivier had gewoond: een steenrijke kluizenaar, een kruidenvrouwtje of een tolheer die de schippers zakken vol goud liet betalen voor hun doortocht. Hij had zelfs al in de ruïne gegraven, op zoek naar verloren schatten voor zijn verzameling. Voor noppes tot nu toe. En in deze hitte had hij geen puf om zijn zoektocht voort te zetten. Hij plofte naast mam op de deken en deed zijn ogen dicht.

De kinderen schopten hun schoenen uit en plonsden de rivier in. Ze lieten zich niet afschrikken door het koude water. Stroomopwaarts vonden ze een dam. Die zorgde ervoor dat de stroming bij de ruïne dieper en rustiger was.

'Kijk, daar heb je een glijbaan,' zei Thomas. 'De dam stuwt al het water één kant op.' Hij waadde naar de stroomversnelling, ging op zijn rug liggen en liet zich in volle vaart meesleuren. 'Whoehaa! Leuk joh, moet je ook proberen.'

Emma en Steven aarzelden nog. Zouden pap en mam het wel goedvinden als ze in de rivier zwommen?

Maar Georges wilde laten zien dat hij het ook durfde. Onder het uitstoten van 'Oehs' en 'Ahs' vanwege het koude water, klauterde hij naar de glijbaan en volgde Thomas' voorbeeld. 'Yes!' gilde hij. 'It's wonderful.'

Als zelfs Georges het durfde, konden Emma en Steven niet achterblijven. Thomas en Georges hadden gelijk: het was heerlijk. Veel leuker en spannender dan de wildwaterbaan bij Center Parcs.

Na een half uur was ze uitgeput. 'Ik ga kreeftjes zoeken.'

Even later zochten ze samen in de stilstaande waterpoeltjes aan de oever naar rivierkreeftjes.

Georges had er het geduld niet voor. Hij had trouwens nieuws. 'Hé Thomas,' zei hij. 'I find your ball.'

'Where?' Thomas baalde al een paar dagen, omdat hij zijn voetbal kwijt was. Pap weigerde een nieuwe te kopen. Thomas moest maar eens wat beter op zijn spullen letten.

'Monsieur Argentin cut it and...' Georges wist zo gauw niet welke woorden hij moest gebruiken, dus maakte hij een wegwerpgebaar.

'He did what?!'

'It is gone,' zei Georges. 'No more football.'

Ze hadden al langer het gevoel dat Argentin tegenacties ondernam. Er was al meer speelgoed spoorloos verdwenen en in Georges' fietswiel zat een mysterieuze slag. Dat gebeurde allemaal niet vanzelf. Maar ze konden niet bewijzen dat de boze buurman daarachter zat.

'How do you know that Argentin did it?' vroeg Emma.

'I found it in his... his poubelle.' Hij zag dat ze hem niet begrepen. 'Where you throw your things away.'

'In de vuilnisbak,' raadde Steven.

'De rotzak!' schreeuwde Thomas. 'Dat kunnen we niet op ons laten zitten!'

Daar waren ze het snel over eens. Maar ze moesten voorzichtig zijn, want Argentin was een gevaarlijke tegenstander.

'Dit vraagt om een hardere aanpak dan hondenpoep verplaatsen of vissen vangen,' zei Thomas. 'Nu is het echt oorlog! What shall we do?'

'I have a plan,' zei Georges geheimzinnig. 'I show you when we get home.'

'Laten we meteen gaan,' stelde Thomas voor.

Pap en mam waren verbaasd dat ze al zo snel weer terug wilden.

'Het water is ijskoud,' verzon Emma. 'Wij zijn alweer afgekoeld.'

De auto stond nog niet stil toen de kinderen er al uit sprongen.

'Come,' wenkte Georges.

Ze volgden hem naar zijn slaapkamer. Van onder zijn matras haalde hij een katapult tevoorschijn. Hij mikte op zijn raam en liet het elastiek knallen. Gelukkig zat er geen steen in. 'We do that!' Hij had een boosaardige grijns op zijn gezicht.

Ruiten inkeilen. Dat zou de buurman razend maken; precies wat ze wilden! Maar hij zou niet lang hoeven na te denken wie de daders waren.

'How we make sure he does not know we did it?'

'We hide,' zei Georges. 'He must not see us.'

'Die vent is wel gemeen, maar niet dom,' zei Emma. 'Natuurlijk snapt hij dat wij het gedaan hebben. It's no good plan.'

'Wat moeten we dan doen?'

Ze piekerden zich suf hoe ze ongemerkt wraak konden nemen.

'Ik doe het!' zei Steven plotseling. 'Ik ben altijd overal te klein voor, dus mij verdenken ze niet zo snel. Jullie moeten pap afleiden. Vraag of hij met je komt spelen in de tuin. Badminton of zo. Dat kan ik niet, dus het valt niet op als ik met een boek naar de hooizolder ga. Na een tijdje sluip ik met de katapult naar het kasteel en knal alle ruiten stuk.'

'Kun je wel met zo'n ding schieten?' vroeg Thomas.

'Dat leer ik zo.' Steven klonk zelfverzekerd. Dit was zijn kans om te tonen wat hij waard was. 'Niet bij ons in de tuin, anders verraad ik mezelf. We oefenen bij de rivier.'

Thomas trok een brede grijns. 'Je mag dan een kleine kleuter zijn, soms heb je aardige ideeën.' Hij legde Georges het plan uit.

Die stak glimlachend de katapult in zijn zak en bonkte de trap af.

Alles verliep zoals Steven het bedacht had. Na een uur oefenen mikte hij elke steen tegen de schietschijf die Georges aan een boom gehangen had.

Weer thuis zocht Thomas meteen de badmintonrackets op. 'Hé Mark, je zeurt wel de hele tijd dat we te veel bij Georges computeren, maar jij zit zelf ook alleen maar op je luie reet. Doe je mee badminton?'

'Leuk!' Pap klapte zijn map met oude brieven dicht.

Steven speelde één potje mee. Hij deed zijn best om de shuttle zo min mogelijk te raken. 'Stom spel.' Met moeite hield hij zijn lach in. 'Ik ga lezen op de hooizolder.' En weg was hij.

Nu was het de kunst om pap lang genoeg bezig te houden. Die klaagde al snel dat hij kapot ging in de hitte, maar

Thomas daagde hem uit. 'Watje! Je lijkt wel een ouwe vent.'
'Vooruit, nog eentje dan,' zei pap.
Normaal telde er voor Thomas maar één ding: pap met een zo groot mogelijk verschil verslaan. Maar dit keer stond er iets anders op het spel. Hij maakte er een spannend, lang potje van. 'Je wordt beter,' moedigde hij pap aan.
Het werkte! Pap won op miraculeuze wijze. Overmoedig geworden ging hij zelfs nog een derde spel aan.
Nieuwsgierig als altijd kwam Lili kijken wat er aan de hand was. Ze raakte betoverd door de vliegende shuttle. Bij de eerste de beste gelegenheid dook ze erbovenop, alsof het een vette muis was.
'Spelbreker,' zei Emma. Ze pakte de poes op en hield haar in bedwang. 'Nog heel even,' fluisterde ze Lili in het oor.
Op dat moment klonk er een luid gebonk op de voordeur.
Glunderend keken Georges en Thomas elkaar aan. Emma was niet zo zeker dat het Steven gelukt was om ongemerkt zijn aanslag te plegen.
Ze hoorden hoe mam meneer Argentin binnenliet.
Die knetterde een stortvloed aan woede over haar heen.
'Mark,' riep mam.
Emma hoorde de paniek in haar stem. Mam kon er waarschijnlijk geen touw aan vastknopen, net als zij. Maar zij wist wel waar het over ging.
Briesend stormde Argentin de achtertuin in.
Steven voegde zich met een onschuldig gezicht en zijn Asterix-boek onder zijn arm bij de rest.
De buurman ging als een razende tekeer. Zijn vinger priemde op Georges' borst.
Die keek hem uitdagend aan.
Pap was stomverbaasd. Hij vroeg iets aan de boze buurman

en kreeg een uitbrander terug. Paps hoofd en nek werden knalrood. Dat gebeurde altijd als hij boos was. In zijn beste Frans snauwde hij de buurman af. Maar Argentin was ook niet op zijn mondje gevallen. De woorden kletterden als degens tegen elkaar. Langzaam won pap de strijd. Argentin bond steeds meer in. De ruzie eindigde met een ferm 'Allez-vous-en!' van pap, waarop de buurman afdroop.

'Waar ging dat over?' vroeg mam.

'Wat een onbeschofte vlegel!' zei pap ontdaan. 'Er schijnt een ruit in zijn huis gesneuveld te zijn. Hij beweert dat een van de jongens dat gedaan heeft, terwijl ze verdorie de hele tijd hier bij mij waren. Hij wou me eerst niet geloven, maar ik heb hem flink de oren gewassen. Wat een ongelikte beer!'

'Weten jullie hier iets van?' vroeg mam achterdochtig.

'Ik krijg altijd overal de schuld van!' riep Thomas. 'Barst...' En hij verdween naar de hooizolder. Hij hield het toneelstuk tot het laatst toe vol.

Emma had er meer moeite mee. Zij kon haar lach bijna niet houden. Ze mompelde wat tegen Lili en sloot zich bij Thomas aan.

In het hooi vertelde Steven al enthousiast over zijn heldendaad. 'Mijn schuilplaats lag wel ver van het kasteel af. Toch lukte het bij de tweede poging een gat in de ruit te schieten. Simpel.'

'Eentje maar?' Thomas klonk teleurgesteld. 'He just shot one window,' vertaalde hij voor Georges.

'Dat was toch genoeg,' zei Steven. Hij vond het zonde om nog meer van het kasteel te vernielen.

'Je was gewoon bang,' jende Thomas.

'Welnee.' Emma schoot Steven te hulp. 'We hebben het doel toch bereikt. Zag je hoe boos Argentin was? Goed gedaan hoor, Steven!'

Hij glom van trots.

'Hoho, nu geen sterallures krijgen,' zei Thomas. 'Je blijft een kleutertje.'

16

De volgende ochtend ontwaakte Emma met een aanhoudend gedreun in haar hoofd. Door haar wimpers heen zag ze dat de dag pas net begonnen was. Veel te vroeg om op te staan. Ze trapte de lakens van het bed, maar het hielp niets. De zomerhitte hing in het hele huis. 's Nachts koelde het nauwelijks meer af.

Opeens werd er een arm om haar heen geslagen. Haar hart stond een ogenblik stil. Ze sloeg de arm van zich af en vloog met een gil overeind. Ze bleek midden in de nacht tussen pap en mam in bed gekropen te zijn. Pap wilde tegen mam aan rollen, maar was er nu ook achter dat hij de verkeerde te pakken had. Klaarwakker keken ze elkaar aan.

'Hè, Emma,' bromde hij, 'moet dat nou, in zo'n tropische nacht bij ons in bed? Het lijkt wel een lekkend waterbed.'

'Sorry,' zei ze.

'Wat is dat trouwens voor een irritante herrie? Het is nog geen zes uur.'

Pap hoorde het gedreun dus ook.

'Het lijkt wel een tractor,' zei hij. 'Zo vroeg is meneer Lascoux anders nooit in de weer. Er zal wel iets bijzonders aan de hand zijn.'

Pap was nog lang niet uitgeslapen. Hij draaide zich weer om, in de verwachting dat de herrie wel over zou gaan. Maar dat gebeurde niet. Erger nog, de tractor kwam dichterbij. Tot onder het slaapkamerraam. Daar gaf de chauffeur gas.

Ze rook de dieseldampen.

Pap woelde onrustig heen en weer. Hij probeerde zich niet op te winden, maar toen de tractor voor het huis op en neer bleef rijden, kwam mam in actie.

'Wat is er toch aan de hand?' vroeg ze slaperig.

'Ik weet het niet. Het zal wel ergens goed voor zijn.'

'Ik maak het raam dicht.' Mam klom uit bed en liep naar het venster. Ze loerde door het gordijn naar buiten. 'Wat doet die idioot nou?'

'Idioot?' vroeg pap. Zo spraken ze nooit over meneer Lascoux.

'Ja, die Argentin. Hij graaft weer eens kuilen met zijn tractor. Moet dat zo vroeg in de ochtend? Onder ons raam?'

Pap schoot uit bed. 'Wát zeg je? Argentin?' In een paar passen stond hij naast mam.

Hoewel Emma zich hondsberoerd voelde, won haar nieuwsgierigheid het. Ze ging ook kijken.

Argentin reed met een lege grijper voor het huis langs. Met een gemene grijns loerde hij omhoog.

'Dat doet hij expres!' siste pap. 'Ik zal hem eens...' Hij greep naar zijn broek, maar mam hield hem tegen.

'Jij zult niks,' zei ze beslist. 'Dit doet hij alleen maar om te pesten. Hij is nog boos om dat ruitje. Als we niet reageren, houdt hij vanzelf op.'

'Wat een nare vent,' bromde pap. 'Hij meent dat hij hier de baas is. Maar het moet niet gekker worden, of ik zal hem een lesje leren!'

De tractor stopte. Een zware stem schalde over de nu rustig knetterende motor heen. Dat was Bertrand, de vader van Georges. Hij stond in zijn pyjama te schreeuwen. Argentin schreeuwde terug. Bij elke uithaal trilde zijn buik onder zijn bretels. Dat ging zo minutenlang door, tot Argentin zijn tractor weer in beweging zette.

Woedend verdween Bertrand naar binnen. Twee tellen later kwam hij terug en liet zijn mobiel aan Argentin zien. Emma begreep niet wat hij precies riep, maar het ging over de 'police'. Dat dreigement herstelde de rust in het dorp. De tractor blies de aftocht.

'Eén – nul!' juichte Thomas, die de slaapkamer was binnengeglipt.

Zo hard dat Argentin het hoorde. Hij wierp een boze blik omhoog.

Pap keek Thomas onderzoekend aan. Alsof hij er niet meer zo zeker van was dat hij niets met de gebroken ruit te maken had.

Thomas zette zijn handen uitdagend in zijn zij, klaar om te zweren dat hij het niet gedaan had.

'Het is zes uur,' zei pap ten slotte geeuwend. 'Laten we nog even proberen te slapen. Emma, naar je eigen bed!'

Met tegenzin ging ze naar haar eigen kamer. Ze klemde haar knuffels beschermend tegen zich aan. Helemaal uit het niets lag er opeens weer een steen in haar maag. Eigenlijk was er niets aan de hand. De geest had zich meer dan een week niet laten zien. Emma dacht dat ze haar met rust liet, omdat ze niet van plan was iets met de noodkreet te doen. En nu keerde zomaar zonder aanleiding het beklemmende gevoel in alle hevigheid terug.

Had ze zichzelf voor de gek gehouden? Was de afleiding waar ze al die tijd zo dankbaar om was geweest uitgewerkt? Opeens was de dreiging terug. De blauwe vrouw zou elk moment opnieuw kunnen verschijnen. Misschien had ze de afgelopen nacht wel naast haar gestaan en was Emma daarom naar haar ouders gevlucht. Begreep dat mens – o nee, die geest – nou nog niet dat ze bij haar niet welkom was? Waarom viel ze mam niet lastig? Die had mooi praten met haar verhalen over oma! Zij werd niet achtervolgd door die griezel. Of waarom ging die geest niet bij pap spoken? Daar had hij toch geen last van, want hij geloofde niet in spoken.

Ten einde raad zei ze hardop: 'Ga bij iemand anders spoken, hoor je? Ik heb er geen zin in. Laat me met rust!'

Geen antwoord. Allicht niet. Overdag durfde ze vast niet langs te komen, die geest. Spoken waagden zich alleen in het holst van de nacht uit hun schuilplaatsen. Als je ze het minst verwachtte. Enge nachtwezens waren het. Wie in de duisternis leefde, had iets te verbergen. Er liep een rilling over Emma's rug. Ze geloofde niet in goede geesten, wat mam ook allemaal zei.

Wat moest ze doen? Het lukte niet meer die griezel uit haar gedachten te zetten. Hoe hard ze het ook probeerde. Ze bleef door haar hoofd spoken. Emma raakte de greep op zichzelf opnieuw volledig kwijt.

Ze sleepte zich door de ochtend heen, wiegend in de hangmat onder de grote kastanje. Een groene specht hamerde op een dode boom in de wei, nog geen vijftien meter bij haar vandaan. Anders zou ze hem opgewonden bestuderen, maar nu kon het haar niets schelen. Ze had andere zaken aan haar kop.

Mam informeerde of ze zich niet lekker voelde. Stomme vraag! Waarom zou ze er anders zo lusteloos bij liggen? Maar ze hield zich groot en zei dat de hitte haar lamsloeg. Daar kon mam zich iets bij voorstellen, want het kwik liep die dag op tot tegen de veertig graden. Het zweet verdampte op haar rug voordat ze er last van kreeg.

Voor Thomas en Steven was het duidelijk: alleen aan het water was het uit te houden. 'Zo vaak zijn we niet wezen zwemmen dit jaar,' zei Steven. 'En over een paar dagen is de vakantie alweer afgelopen.'

Hij kreeg zijn zin. Normaal zou Emma graag meegegaan zijn. Misschien had ze dat ook beter kunnen doen, maar haar lijf blokkeerde. Ze kreeg geen voet voor de andere, zo beroerd voelde ze zich.

Mam bleef thuis om een oogje in het zeil te houden. Ze las haar boek toch liever thuis onder de parasol dan in de gloeiende zon aan de waterkant.

De uren kropen voorbij. Emma doezelde telkens weg in de hangmat, maar slapen lukte niet. Net zomin als lezen. Ze werd constant gepest door dikke paardenvliegen die om haar heen cirkelden en over haar armen en benen kriebelden. Op een gegeven moment had ze het daar helemaal mee gehad. 'Ik ben bekaf,' zei ze. 'Vind je het goed dat ik even naar bed ga?'

'Doe maar,' zei mam. 'Daar knap je misschien van op.'

Moeizaam rolde ze uit de hangmat. Haar hoofd drukte zwaar op haar nek. Tjonge, wat was het heet! Op de overloop aarzelde ze. Zou ze in haar eigen bed gaan liggen? Daar waar ze al zo veel ongewenste nachtelijke bezoekjes had gehad? Maar het was nu geen nacht, hield ze zichzelf voor. Toch nam ze voor de zekerheid maar het bed van pap en mam. Hoewel het boven wel een sauna leek, trok ze een laken over zich heen.

Ze viel in een onrustige slaap vol wilde dromen. Ze doolde over een gigantische rommelmarkt. Het duizelde haar van de kraampjes met stinkkazen, knoflookworsten, sieraden, kleren, speelgoed, boeken, oude postkaarten en munten. Ze was naar iets op zoek, maar herinnerde zich niet meer wat. Het was ook onbegonnen werk in die overvloed aan spullen.

'Emma?' Een dame tikte haar op de schouder. Ze droeg een witte jurk en een breedgerande hoed. Ze glimlachte vriendelijk.

'Wat?' vroeg Emma.

'Emma, help me.'

De woorden bliezen als een koele wind over haar gezicht. Emma draaide zich slaapdronken om en kroop dieper onder het laken.

'Emma.'

Ze maakte een afwerende beweging met haar hand. Die voelde opeens ijskoud aan. Ze schrok wakker. Daar was ze weer, de blauwe schim. Midden op de dag! Emma hield haar adem in. Het was een heldere, doorzichtige verschijning. Dwars door haar heen kon Emma de klerenkast van pap en mam zien. Alsof de geest van gekleurd glas was gemaakt.

'Lieve Emma, wees niet bang.' De stem van de vrouw klonk vreemd hol, zacht maar duidelijk. 'Luister alsjeblieft naar wat ik te zeggen heb.'

'Ik wil u helemaal niet zien,' zei Emma. Ze schoof naar het midden van het bed. 'Ik heb geen zin in spokerijen. U maakt me bang.'

'Ik doe je geen kwaad. Ik heb tijdens mijn leven al te veel ellende aangericht. Daar moet ik nu voor boeten. Alleen jij kunt me helpen, voordat het te laat is.'

'Waarom ik?'

Voor het eerst verscheen er een glimlach op het gezicht van de vrouw. Dezelfde glimlach als de vrouw in haar droom. 'Omdat jij Emma bent.'

'Dat snap ik niet.'

'Jij bent niet de eerste Emma die in dit huis leeft. Lang geleden woonde hier een Emma die net zo vrolijk en lief was als jij. Ze was mijn dochter. Ik hield veel van haar, evenveel als van haar oudere zus, Victoria, en onze kleine Albert. Maar Emma en Victoria hadden de pech dat Albert vaak ziek was.'

Emma herinnerde zich de brief waaruit pap had voorgelezen. Was die Albert de jongen van wie alle spullen waren verbrand? Die gedachte bracht haar verder in verwarring. Het leek of het hele huis zich vulde met de geesten van alle mensen die er ooit in hadden gewoond. En waren gestorven...

Er viel een schaduw over het gezicht van de geest. 'Dat was Albert, ja,' zei ze, alsof ze haar gedachten kon lezen. 'Al mijn aandacht en zorg gingen naar hem. Ik dacht dat de meisjes sterk genoeg waren om zichzelf te redden. Ach, ze waren er niet eens ongelukkig onder. Ze begrepen het wel. En de vrijheid die ze kregen, grepen ze met beide handen aan. Trouwens, toen ze kleiner waren, kregen ze genoeg liefde van me. Ze konden altijd bij me terecht als ze vragen of problemen hadden.' De vrouw zweeg.

Emma voelde dat haar verhaal nog niet af was. Het ergste moest nog komen. Wat zei ze net? 'Ik heb tijdens mijn leven al te veel kwaad aangericht.' Wat bedoelde ze daarmee?

De geest zuchtte diep. 'De echte problemen begonnen pas toen Albert doodging.'

De woorden veroorzaakten een vlaag kou in de kamer. Emma trok het laken tot onder haar kin.

'Albert overleefde zijn zoveelste longontsteking niet.'

Er viel een lange stilte.

'Ik was gebroken. Het kind voor wie ik tien jaar lang had gezorgd, was er niet meer. Alles leek opeens zinloos.'

Emma probeerde zich voor te stellen wat de vrouw had meegemaakt. Wat als bijvoorbeeld Steven dood zou gaan? Hoe zou mam dan reageren?

'Ik leefde nog, maar mijn hart was dood.' De geest sprak langzaam. Ze koos haar woorden zorgvuldig. 'Ik werd zo onder het verdriet bedolven, dat ik me thuis nergens meer mee bemoeide. Niet met het huishouden, dat verslonsde. Niet met het graan, dat op de velden verpieterde. Niet met het vee, dat in de weilanden verkommerde. Niet met mijn man. Niet met mijn dochters. Ook zij misten hun kleine broertje, maar ik zag het niet. Ze hadden behoefte aan hun moeder, om hen te troosten. Maar hun moeder was zelf ontroostbaar.

Victoria was al zo groot, dat ze haar eigen weg ging. Zodra ze oud genoeg was om voor zichzelf te kunnen kiezen, trouwde ze met een jongen uit een ander dorp. Ze kochten een boerderijtje tien kilometer verderop. Victoria was een strenge moeder voor haar kinderen. Altijd bazig en mopperend. Ze is jong gestorven, nog voordat ik in mijn graf gelegd werd.

Maar zij had het in ieder geval beter dan mijn arme Emma. Die was te jong om het huis te ontvluchten. Net zo oud als jij toen Albert stierf. Elf jaar. Maar zo jong als ze was, nam ze al het werk op zich. De verzorging van het huishouden, de boerderij en haar ouders. Ze deed haar werk zonder klagen. Maar het maakte van die vrolijke Emma een ongelukkig, bitter mens. Ze heeft geen traan gelaten toen ik stierf.' De vrouw sloot haar ogen. Aan alles was te zien dat ze onder het verdriet leed.

Ademloos hoorde Emma het verhaal aan. Zo veel ellende onder één dak, dat was haast niet te bevatten. De geest had haar medelijden gewonnen, maar de angst en vragen waren nog niet verdwenen. 'Wat kan ik doen?'

'Ik wil het goedmaken met Emma. En jij kunt me daarbij helpen. Jij kunt een brug slaan tussen Emma en mij.'

Emma keek haar vragend aan. 'Ik? Hoe...?'

'Mijn dochter leeft nog. Ik wil niet dat ze verbitterd sterft. Je moet haar opzoeken. Binnenkort kan het misschien niet meer.'

'Waarom ik?'

'Ik weet het niet,' antwoordde de blauwe vrouw. 'Jij bent de enige met wie ik contact kan maken. De eerste in al die lange jaren... Omdat jij ook Emma heet, denk ik.'

'De mannen komen thuis!' riep mam uit de keuken. 'Kom je naar beneden, Emma? Ik heb het eten op tafel staan.'

Emma hoorde hoe de auto voor het huis stopte. Verlamd zat ze op bed. Er werd uit twee werelden aan haar getrokken. Het liefst zou ze naar beneden vliegen. Terug naar de wereld van het nu, waar alles was zoals het hoorde. De veiligheid van mam en pap. Haar maatjes Thomas en Steven. De wereld waar je alles kon zien, horen, aanraken. Maar was het wel mogelijk om te vluchten voor deze schimmenwereld? Zou ze zich daar ooit nog van kunnen bevrijden? Ook al was het nu wel echt duidelijk dat de geest haar geen kwaad wilde doen, toch bleef het griezelig om oog in oog te staan met iemand die al een eeuwigheid dood was.

'Alsjeblieft,' smeekte de blauwe vrouw, 'je móét me helpen. Dit is mijn laatste kans.'

'Dat kan ik toch niet,' fluisterde Emma.

'Je móét!' herhaalde de schim. 'Als jij niets doet, blijf ik voor eeuwig rondspoken.' Haar ogen priemden in die van Emma.

Haar hart stuwde het bloed met een duizelingwekkende vaart door haar lijf. Ze moest er niet aan denken dat er voor altijd een geest in dit huis zou wonen. Hoe zouden de vakanties er dan uitzien? Zou de geest haar met verwijten blijven achtervolgen? Emma raakte in paniek. Dát wilde ze niet. Ze moest helpen!

'Als ik u help,' zei ze zacht, 'verdwijnt u dan?'

De blauwe glans leek op te lichten. 'Dan vindt mijn ziel rust,' zei de geest. 'Je zult me nooit meer zien.'

Het stormde in Emma's hoofd. Ze had medelijden met de geest, maar was er ook bang voor. Het zou geweldig zijn als ze verlost kon worden van die verschijningen. Zou het leven dan weer normaal worden?

Met veel geraas kwam Thomas binnen. 'Wat is het toch heerlijk hier in Frankrijk!' bulderde hij enthousiast.

'Emma, slaap je nog?' riep mam.

Ze raakte in paniek. Er was geen tijd meer om na te denken, want ze moest naar beneden. Ze moest nú een keus maken. 'Ik kom zo!' gilde ze. Vlug vroeg ze zacht: 'Wat moet ik doen?'

'Vraag Emma namens mij om vergiffenis. Vertel haar hoeveel spijt ik van mijn gedrag heb. Zeg haar hoe trots ik op haar ben. Zeg haar dat ik van haar houd!'

Op de trap klosten de schoenen van pap. Hij was op weg naar de slaapkamer. De tijd drong. Het was voor haar niet meer de vraag óf ze wilde helpen, maar ze had geen idee hoe ze dat moest aanpakken. Wat moest ze precies zeggen? Op zijn Frans? En tegen wie? 'Waar kan ik jouw Emma vinden?' vroeg ze benauwd, bang dat ze de opdracht niet kon uitvoeren.

'Je kent haar wel,' zei de blauwe vrouw. Haar stem stierf weg, terwijl ze in het niets oploste. 'Het is...'

Paps voetstappen op de gang overstemden de laatste woorden. Hij stak zijn hoofd om de deur. 'Tegen wie had jij het?' vroeg hij verbaasd. 'En sinds wanneer spreek jij zo goed Frans?'

'Frans?' stamelde Emma.

'Ja, je...' Pap brak zijn zin af. Hij zag de verwarring in zijn dochters ogen. 'Mijn hemel, Emma,' fluisterde hij. 'Het lijkt wel of je een geest gezien hebt.'

Ze schoot in de lach, van de zenuwen. 'Dat heb ik ook!'

Dat was het breekpunt. Nu kon ze niet anders dan opnieuw open kaart spelen. Niet zozeer omdat pap en mam aandrongen op te biechten wat ze gezien en gehoord had, maar vooral omdat ze de blauwe vrouw wilde verlossen van haar dooltocht door de tijd. En natuurlijk ook om zichzelf te verlossen van de verschijningen van de huisgeest.

Ze vertelde het hele verhaal. Het kon haar niets meer schelen dat Thomas en Steven erbij zaten. Met grote ogen keken ze haar aan.

Het eten verpieterde op tafel. Niemand had trek na haar ontboezemingen.

Het werd stil in huis. Er hing een bedrukte sfeer. Thomas en Steven doken weg in een stripboek. Pap stond roerloos bij het open raam. Hij blies wolken sigarenrook naar buiten. Mam staarde stilletjes voor zich uit. Af en toe streelde ze Emma over het hoofd.

En Emma? Die was opgelucht dat nu eindelijk duidelijk was wat haar te doen stond. Ergens in of rond het huis zweefde nog steeds de geest van de vroegere bewoonster, maar nu niet meer als een onvoorspelbare, dreigende schaduw. Het was 'gewoon' een vriendelijke oude dame die wat recht moest zetten voordat ze voorgoed afscheid kon nemen. En Emma ging haar daarbij helpen.

Ze moest denken aan mams oma. Die kon ook praten met geesten. Zouden er veel mensen op de wereld zijn die dat konden? Waarom wisten zo weinig mensen dat geesten écht bestonden? Was er een reden waarom het geheim gehouden werd? De ene na de andere vraag stuiterde weer door haar hoofd. Maar deze keer waren de vragen meer bevrijdend dan beklemmend. Gelukkig hoefde ze niet meer te verbergen waarom ze zich de laatste tijd zo vreemd had gedragen. Gelukkig hoefde ze pap niet meer te overtuigen dat haar geest geen verzinsel was. En gelukkig lachte Thomas haar niet uit. Geen flauwe grappen, geen stoere praat. Hij was behoorlijk onder de indruk. Maar echt tevreden zou ze pas zijn als het lukte die Emma op te sporen en te verzoenen met haar moeder.

'Zullen we even in de tuin gaan zitten?' stelde mam voor. 'Opruimen komt straks wel. Of morgen.' Ze pakte een pak sinaasappelsap uit de koelkast. 'Kom,' zei ze. Ze nam Emma bij de hand en loodste haar naar buiten. Pap volgde.

Oranjerood zakte de zon achter de heuvels. De hagedissen waren uit hun holletjes gekropen om zich te koesteren in de warmte.

Ze namen plaats aan de grote eettafel.

'Lust je een slokje?'

Emma knikte.

Mam schonk de glazen vol. 'Gaat ie?'

Eindelijk kon Emma weer lachen. 'Ja, ik vind het fijn dat ik eindelijk weet wat die vrouw van me wil. Al heb ik geen flauw idee hoe ik...' Ze maakte haar zin niet af. Ze wist wel degelijk waar ze moest beginnen met de zoektocht naar de dochter van haar geest. 'Wacht even.'

Ze sprong op en slingerde haar stoel aan de kant.

'Emma?' Bezorgd keek mam haar aan.

'Ben zo terug!' riep Emma en holde naar binnen.

Mam wilde haar achterna, maar pap hield haar tegen. Hij knikte geruststellend.

Emma verscheen alweer in de deuropening, paps koffer met schatten onder de arm. Met een klap zette ze die voor hem op tafel. 'Waar is de brief van die jongen?' vroeg ze opgewonden.

'Hoezo?'

'Zoek nou maar, dan zul je het zo zien,' zei ze.

Terwijl pap in zijn map begon te bladeren, schoven haar broers nieuwsgierig bij het gezelschap aan.

'Hier is hij,' zei pap. 'En dit is de vertaling.'

Emma griste hem uit zijn handen. 'Zie je wel! Albert, zo heette haar zoon. Hier staat dat hij ziek was, maar mijn geest zei dat hij stierf toen hij tien jaar oud was. Dat gebeurde misschien wel vlak nadat hij de brief ontving.'

'Bingo!' riep pap. Zijn ogen begonnen te glinsteren. 'Jouw geest heet Pauline. Pauline Lefort, de moeder van Albert. Er zitten meer dan honderd brieven in mijn map die ze van haar vriendinnen, familie en haar man gekregen heeft.'

'Had ze een dochter die Emma heette?' vroeg Emma.

'Jazeker,' zei pap. 'Kijk, hier heb ik een postkaart voor Emma. Die kreeg ze op haar verjaardag van haar peetoom.'

'Kennen we een madame Lefort?' vroeg mam.

'Nee,' zei pap, 'maar dat is ook niet zo vreemd. Als ze getrouwd is, heeft ze de naam van haar man aangenomen.'

'Er wonen genoeg oude mensen in het dorp die moeten weten wie er in ons huis gewoond heeft,' zei Emma. 'Zullen we bij de buren beginnen?'

'Wacht even...' Pap begon koortsachtig in de map te bladeren. 'Dat ik daar niet eerder aan gedacht heb,' mompelde hij. 'Je hele verhaal klopt!'

Wat een domme opmerking! Emma keek hem boos aan. 'Wat dacht jij dan?'

'Sorry,' zei hij, 'zo bedoelde ik het niet. Ik moest ineens aan een andere brief denken. Deze hier, van een vriendin van Pauline Lefort. Dit past precies in je verhaal. Moet je horen:

Zeer lieve vrienden,
Het is met grote spijt dat we het verschrikkelijke bericht ontvingen van Alberts dood.
We zijn geschokt, vooral omdat we niet eens wisten dat hij ziek was.
We zouden graag dicht bij jullie zijn, in deze verdrietige omstandigheden, maar de grote afstand die ons scheidt maakt dat onmogelijk. Wees er echter van verzekerd dat we in ons hart bij jullie zijn en deelnemen aan het grote verdriet dat we uit eigen ervaring kennen, het verlies van een kind.
Dat God jullie trooster mag zijn, en dat de tijd jullie pijn mag verzachten, en dat de liefde die je kunt geven aan je lieve dochters het leed mag verlichten.
We kunnen je enkel aanraden je neer te leggen bij het lot dat je niet kunt ontlopen. We wensen jullie de moed en de kracht toe om je verdriet te boven te komen.
We zenden onze innige deelneming in deze tragische omstandigheden.
Jullie toegewijde vrienden,
Adolphe en Marie Bigot

Er viel een korte stilte. Pap keek van Emma naar mam. 'De brief is uit 1934,' zei hij. 'Emma was toen elf jaar, zei je? Dan moet ze in 1923 geboren zijn.'

'Zo oud,' zei Emma. 'Ze heeft vast alle zaadjes van een paardenbloem afgeblazen.' Elk nieuw bewijs dat het drama van de blauwe vrouw bevestigde, maakte haar vastberadener om haar te helpen. 'Wie zou het kunnen zijn?' vroeg ze zich hardop af. 'Is het oma Lascoux misschien?'

'Er wonen wel meer bejaarde dames in Beaumont,' zei pap. 'Je hebt natuurlijk ook nog die vrouw uit de bouwval bij de rivier en de boerin van het witgepleisterde huis, madame Dujardin.'

'Ik hoop dat het die laatste niet is,' zei mam. 'Zij heeft de ziekte van Parkinson en is helemaal dement, zegt mevrouw Lascoux. Je kunt geen fatsoenlijk gesprek meer met haar voeren. Dus ook niet over de dolende geest van haar moeder.'

Emma's gezicht betrok. Als het mevrouw Dujardin was, zou het dus mooi te laat zijn. Maar ze huiverde nog meer bij de gedachte dat de bebaarde vrouw bij de rivier misschien de oude Emma was. Zij had iets griezeligs over zich. Iets mysterieus. Laat het alsjeblieft oma Lascoux zijn, dacht ze.

'Hoe komen we erachter wie de juiste is?' vroeg mam.

'Ik ga naar de buren,' zei pap.

Emma aarzelde. Zou ze meegaan? Het was immers háár taak om de boodschap over te brengen, ook al sprak ze maar drie woorden Frans.

'Mark, zul je voorzichtig zijn?' zei mam. 'Je mag er niet over beginnen waar oma bij zit. Stel je voor dat het om haar gaat. Je zou haar er vreselijk mee overvallen. Misschien moet je madame en monsieur Lascoux vragen of ze bij ons op de koffie komen. Zeg maar dat het belangrijk is. Dan laten ze oma wel thuis.'

'Goed plan,' zei pap.

Nu het enkel om een uitnodiging ging, vond Emma dat ze beter thuis kon blijven. 'Ik ga alvast koffie zetten,' zei ze.

Pap bleef niet lang weg. 'Ze zijn op visite bij hun zoon in de stad. Oma was alleen thuis. Ze had geen idee hoe laat ze zouden terugkomen.'

Het schemerde al. Vleermuizen scheerden door de tuin.

Pap gooide zijn laatste peuk weg. 'Dat wordt niks meer vandaag,' zei hij. 'We moeten wachten tot morgenvroeg.'

Emma keek hem teleurgesteld aan. Nu ze wist hoe ze de geest van Pauline Lefort kon helpen, wilde ze dat ook zo snel mogelijk afhandelen. Liever vandaag dan morgen. Maar ze moest nog een nacht geduld hebben.

In stilte dronken ze samen koffie en chocomelk. Georges klom op het muurtje tussen de tuinen, maar toen hij de vreemde sfeer aan de tuintafel bespeurde, vertrok hij stilletjes.

'Kom, kids,' zei pap, 'morgen wordt een spannende dag. Tanden poetsen en naar bed.'

Niemand sputterde tegen.

Emma wilde in haar eigen bed stappen, omdat ze nergens meer bang voor was, maar mam besliste anders. 'Ik vind het fijner als je vannacht dicht bij mij in de buurt bent,' zei ze.

'Mag ik ook bij jullie slapen?' vroeg Steven. Bij hem zat de angst er juist goed in.

Mam legde voor hem een matras aan het voeteneind van haar bed. Alleen Thomas voelde zich te groot om met de rest op één kamer te liggen. Hij vond het wel stoer om alleen in zijn kamer te slapen, terwijl er een geest door het huis doolde. 'Ik kan niet wachten tot ik het Goof en de rest kan vertellen,' zei hij.

'Echt niet!' riep Emma geschokt. 'Je vertelt niet iedereen over mijn geest. Ik wil niet dat ze er op school of de volleybalclub achter komen! Daar hebben ze niets mee te maken.'

Gelukkig schoot mam haar te hulp. 'Dat lijkt me geen goed

idee, Thomas,' zei ze. 'Ik heb liever dat we dit avontuur binnen de familie houden.'

Vos amis dévoués
Bigot

17

Emma had aan één stuk door geslapen. Loom rekte ze zich uit. Ze voelde zich heerlijk uitgerust. De hoogspanning die in al haar vezels had gezeten was verdwenen.

'Heb je haar weer gezien?' Slaperig stak Stevens hoofd boven paps tenen uit.

Ze schudde glimlachend van nee.

Voorzichtig kroop Steven naast haar. 'Als we die Emma verteld hebben dat ze haar moeder moet vergeven, gaat de geest toch weg, of niet?'

'Klopt.'

'Hé pap, wakker worden!' Steven gaf pap een flinke por. 'We moeten de geest helpen.'

Pap schoot overeind. 'Waar is ze?' vroeg hij. Hij keek wild om zich heen.

'Je moet naar de buren,' zei Steven.

'Die zien me aankomen, om half acht,' bromde pap.

'Je zegt zelf dat ze altijd vroeg opstaan.'

'Rustig aan. Alles op zijn tijd. We gaan eerst ontbijten. Dan kan ik nog even nadenken over wat ik precies zeggen moet.'

'Hoezo?' riep Emma verontwaardigd. 'Dat is toch niet zo moeilijk! Je zegt gewoon dat we Emma Lefort zoeken.'

'Ja, en dan? Het zou op zijn Nederlands al lastig zijn om uit te leggen wat jij te vertellen hebt. En dan moet ik dat nog naar het Frans vertalen.'

Haar boosheid zakte. 'Oké, als jij je woordenboek opzoekt, ga ik de tafel vast dekken.'

De klok kon haar niet snel genoeg vooruit gaan. Monsieur Lascoux moest eerst de koeien van de ene wei naar de andere brengen. Daarom hadden de buren pas om elf uur tijd.

Verwachtingsvol zat de hele familie De Leeuw in de woonkamer. Emma veilig tussen pap en mam op de bank en de jongens op krukjes uit de keuken.

Het was de allereerste keer dat meneer en mevrouw Lascoux op de koffie kwamen. Pap en mam hadden hen al vaker uitgenodigd, maar telkens weer bedachten ze een smoes. Volgens mam waren ze te bescheiden. 'Ze willen ons niet lastigvallen in onze vakantie.' Maar deze keer konden ze er niet onderuit. Pap had ze beleefd maar dringend duidelijk gemaakt dat ze op bezoek moesten komen. Het kostte wat moeite, maar uiteindelijk begrepen ze dat er iets belangrijks te bespreken was.

Georges stond al op de stoep om te spelen, maar Thomas vertelde hem dat dat hij moest wachten tot de Lascouxs weer vertrokken. Nu fietste Georges voor het huis op en neer, met die rare knik in zijn wiel. Elke keer dat hij langskwam, wierp hij een nieuwsgierige blik naar binnen.

Klokslag elf werd er op de deur geklopt.

'Entrez,' riep Thomas.

Mam stootte hem aan. 'Het is Georges niet,' siste ze. 'Maak even netjes de deur voor ze open!'

Thomas sprong op en zwaaide de voordeur open. 'Bonjour,' zei hij.

Mevrouw Lascoux had zich helemaal opgedirkt. Ze droeg een nieuwe bloemetjesjurk en had zich met lipstick en rouge opgemaakt. En in plaats van haar vertrouwde klompen droeg ze glimmende pumps. Wat een gedaanteverandering!

'Bonjour, la famille,' zei ze en ze gaf iedereen twee kussen op de wang.

Emma liet het gedwee toe. Ze kon niet wennen aan die Franse gewoonte, maar nu had ze geen tijd om zich er druk om te maken. Ze was blij dat nu eindelijk duidelijk zou worden wie Paulines dochter was.

'Asseyez-vous,' zei pap en wees naar de fauteuils.

De buurvrouw voelde zich duidelijk niet op haar gemak. Ze trok haar jurk constant recht.

'Voulez-vous du café?' vroeg mam.

'S'il vous plaît,' zei mevrouw Lascoux.

Steven en Emma waren van tevoren aangewezen als ober en serveerster. Ze sprongen op en haalden de koffiepot en de schaal met koekjes uit de keuken. Steven ging met de schaal rond, en Emma schonk de kopjes vol. Van de zenuwen morste ze op de meeste schoteltjes.

Meneer Lascoux keek de kamer rond. Hij vroeg iets aan pap. Emma kon er geen touw aan vastknopen, maar het was duidelijk dat het niet over de geest ging.

Het geklik van de kopjes op de schotels vulde de kamer. Verder was het stil.

Emma durfde bijna geen adem te halen. Waarom stelde pap niet gewoon de allesoverheersende vraag? Zo onopvallend mogelijk porde ze met haar elleboog in zijn zij.

Hij begreep de hint. Hakkelend vertelde hij de hele geschiedenis.

Emma bloosde toen hij naar haar knikte en haar naam noemde. Zenuwachtig beet ze op haar onderlip. Ze baalde ervan dat ze zelf geen Frans sprak. Het voelde zo ongemakkelijk dat pap namens haar het woord voerde. Pauline had immers háár gevraagd contact met Emma te zoeken. Nu zat ze er als een lam vogeltje bij.

Ze was niet de enige die nerveus was. Mevrouw Lascoux schoof naar het puntje van haar stoel. Gespannen staarde ze pap aan. Meneer Lascoux zakte dieper weg in de kussens. Ook hij zweeg. Zijn blik verried niets, maar Emma was bang dat hij het allemaal flauwekul vond; een belachelijke kinderfantasie.

Om zijn woorden kracht bij te zetten, haalde pap de map met foto's en brieven tevoorschijn. Hij frunnikte er een brief uit.

Met trillende handen nam de buurvrouw hem aan. Ze las hoofdschuddend. Toen ze de brief uit had, richtte ze haar blik op Emma. Voor het eerst sinds pap zijn verhaal begon. 'Emma,' fluisterde ze. 'Comme ma mère.' Er blonk een traan in haar ooghoek.

'Haar moeder?' Mam keek pap onderzoekend aan.

Hij vroeg iets aan mevrouw Lascoux.

Ze knikte.

'Dat is het eerste deel van onze missie,' zei pap. 'Mevrouw Lascoux is de dochter van Emma, en dus de kleindochter van Pauline, jouw geest.'

Emma haalde opgelucht adem; blij dat het niet een van de twee andere oude dames uit het dorp was. 'Vertel nou verder.' Het klonk als een bevel.

'Ik heb het belangrijkste al gezegd,' zei pap.

'En? Gelooft ze me?' Emma moest er niet aan denken dat de buurvrouw haar verhaal maar idioot vond...

'Volgens mij herkent ze het verhaal,' zei mam. 'En ook het verdriet dat erachter zit.'

'Ik ben benieuwd of ze denkt dat haar moeder Pauline

wil vergeven,' zei pap. Hij wendde zich weer naar madame Lascoux en ging verder met hun Franse gesprek.

Emma keek van de een naar de ander. Dit was haast nog enger dan tien verschijningen van Paulines geest achter elkaar! Het leek erop dat pap alles uit de kast moest halen om de buurvrouw te overtuigen. Ze bleef met haar hoofd schudden. Pap gaf haar de map met brieven en wees er verschillende aan.

Monsieur Lascoux had zich de hele tijd op de vlakte gehouden, maar bemoeide zich er opeens mee. Hij stak een heel verhaal tegen zijn vrouw af. Snelle, felle zinnen. Zijn anders zo vrolijke gezicht stond strakgespannen.

De buurvrouw was doodsbleek geworden. Met doffe ogen tuurde ze in paps map. Het leek alsof de woorden van haar man niet tot haar doordrongen.

'Wat zegt hij allemaal?' vroeg Emma zachtjes. Eigenlijk wist ze het antwoord al, maar ze wilde dat pap haar vrees bevestigde.

'Ik weet niet of hij je verhaal gelooft,' zei pap, 'maar hij vindt het in ieder geval geen goed idee om zijn schoonmoeder ermee te confronteren. Volgens hem zou ze er een hartaanval van krijgen.'

'Maar...' Emma zakte diep weg in de bank. Tranen schoten in haar ogen. Ze wilde het uitschreeuwen naar mevrouw Lascoux: U moet het vertellen! Anders... Maar haar stem zat op slot.

Madame Lascoux stond op met een treurige blik. Ze gaf pap de map terug. 'Pardon,' fluisterde ze.

Haar man kwam nu ook overeind, zei 'Merci' en gaf iedereen netjes een hand. Zijn verbeten blik beloofde niet veel goeds. Mevrouw Lascoux volgde zijn voorbeeld, waarna ze stilletjes het huis verlieten.

Emma staarde verslagen naar de gesloten deur. Alle hoop op vergeving voor Paulines geest leek vervlogen. De tranen bleven stromen. Ze hoorde amper wat pap en mam tegen elkaar zeiden.

'Nou hebben we de poppen aan het dansen,' mompelde pap met een zucht.

'Ja, die arme Pauline,' vulde mam aan. 'En die arme Emma.'

'Dat niet alleen,' zei pap. 'Het ziet ernaar uit dat we het helemaal verbruid hebben bij de buurman.'

'Denk je?' reageerde mam verschrikt.

'Wat?' vroeg Steven. 'Wat bedoel je, pap?'

Pap zuchtte opnieuw. Het huilen stond hem nu ook nader dan het lachen. 'Misschien heeft die geest ongewild nog meer ellende over Beaumont uitgestort. Ik ben bang dat meneer Lascoux niets meer met ons te maken wil hebben. En dan hebben we een probleem.'

'Hoezo?' wilde Steven weten.

'De familie Lascoux staat hier in hoog aanzien. Als zij niet meer met ons omgaan, zal de rest van het dorp ons ook met de nek aankijken. En wie houdt er dan nog een oogje in het zeil als we er niet zijn? Wie zorgt voor de post? Wie maait er ons gras?'

Thomas stoof op. 'Georges zou ons nooit verraden. We kunnen hem vragen op het huis te passen.'

Pap glimlachte zuur. 'Georges...'

'Wat?' Thomas sprong op. 'Dat kan hij best. Ik ga het hem meteen vragen.'

'Zit!' zei mam fel. 'Voorlopig doen we niets. Laten we maar even afwachten. Misschien draaien de Lascouxs wel bij.' Ze sloeg een arm om Emma heen. 'Gaat het, liefje?'

Emma rilde. 'Ik ben misselijk.' Ze had het nog niet gezegd,

of haar maag draaide zich om. Ze kon het niet tegenhouden en braakte zichzelf en mam helemaal onder.

'Getsie,' riep Thomas met een vies gezicht. 'Mag ik naar buiten?' Hij wachtte het antwoord niet af en verdween.

'Ach meisje,' zei mam. 'Arm meisje... Kom maar mee naar de badkamer, dan zet ik je onder de douche. Mark, haal jij schone kleren voor ons?'

De uren die volgden beleefde Emma als verdoofd. Ze liet zich gedwee douchen en optutten door mam, ging braaf mee naar de supermarkt om de boodschappen voor de terugreis van morgen te doen en zocht daarna een schaduwplekje op de omgevallen boomstam in de wei achter de tuin op. Ver weg van de wilde spelletjes spelende jongens; ver weg van pap en mam, die maar niet uitgepraat raakten hoe ze het weer met de buren goed konden maken.

Eenmaal alleen met de krekels en de eksters kwamen ook haar gedachten weer op gang. Die arme Pauline, spookte het door haar hoofd. Zou ze ooit rust vinden? Eigen schuld, dikke bult? Waarom doen mensen elkaar zo'n pijn? Ze werd er weer verdrietig van. Een akelige gedachte flitste door haar heen: zou er tussen haar en mam ook iets kunnen gebeuren waardoor mam over tachtig jaar nog als een geest zou rondspoken? Nee, dat kon ze zich niet voorstellen. Dat was niks voor mam. 'Ga nooit met ruzie naar bed,' zei ze soms. 'Zorg dat je het uitgepraat hebt voor je slapen gaat.'

Voor Pauline en haar dochter viel er niets meer uit te praten. Ze hadden geen rechtstreeks contact met elkaar. De enige die hen met elkaar kon verzoenen was zijzelf, een elfjarig meisje dat nauwelijks Frans kende. Ja, kennelijk onbewust als ze met Pauline sprak. Met paps hulp had ze de boodschap wel aan de oude oma Emma over kunnen brengen, maar daar gingen meneer en mevrouw Lascoux dwars voor liggen. Waarom deden zij zo moeilijk? Had die oude vrouw niet het recht op de waarheid? Ze gruwelde bij de gedachte dat haar naamgenote zou sterven met bittere herinneringen aan haar moeder. Dat verdiende Pauline niet, net zo min als haar dochter.

Ik moet die twee helpen, hield Emma zichzelf voor. Wat de rest er ook van vindt! De vraag was alleen hoe. Daar moest ze snel iets op bedenken, want morgen was de vakantie al afgelopen.

Tijd om er over na te denken kreeg ze niet, want plotseling stond oma Lascoux achter haar. Emma Lefort! 'Bonjour, mignonne,' zei ze vriendelijk. 'Tu veux une mûre?' Ze duwde een mandje met bramen onder Emma's neus.

Sprakeloos keek Emma haar aan. Dit kon geen toeval zijn. Een of andere bovennatuurlijke macht moest hen hier en nu hebben samengebracht.

'Prends.' De oude dame haalde een paar donkerpaarse bramen uit de mand en legde ze in haar handpalm. Zou ze op de hoogte zijn van haar moeders wens? Daar leek het niet op.

Emma pakte één braam en stak hem in haar mond.

'Bon?'

Ja, de braam smaakte heerlijk. Verlegen knikte Emma.

Oma Lascoux at de andere bramen zelf op. 'Au revoir.' Ze liep verder.

Stomkop, zei Emma tegen zichzelf. Dit is je kans! 'Wait... Stop.'

Verbaasd draaide oma zich om. 'Oui? Tu veux plus?' Ze bood Emma het mandje weer aan.

'Non... ikke...' Emma hakkelde. Hoe kon ze duidelijk maken wat ze te vertellen had? 'I know your mother.'

De verwonderde blik van oma Lascoux maakte duidelijk dat ze geen woord Engels sprak. 'Quoi?'

Ze moest het over een andere boeg gooien. 'Mama Pauline,' probeerde ze. 'Ik ken jouw mama Pauline Lefort.'

Dat had effect. 'Ma maman? Elle s'appelait Pauline Lefort.'

'Yes!' kraaide Emma. 'Oui, maman Pauline Lefort.' Ze zwaaide in het wilde weg met haar armen, om beurten wijzend naar oma Lascoux, zichzelf en hun huis. 'Pauline wil dat je haar vergeeft.'

'Je ne te comprends pas,' zei oma.

Dat was een van de weinige Franse zinnen die Emma kende. Oma begreep er niets van. Allicht niet. Het was zonder taalproblemen al moeilijk uit te leggen. Opeens kreeg ze een geniaal idee. 'Wait here,' zei ze. 'Stop.' Ze wees naar haar plekje op de boomstam en bleef aandringen tot oma Lascoux met een verwachtingsvolle glimlach ging zitten. Met handen en voeten maakte ze duidelijk dat ze binnen iets wilde halen en meteen weer terug zou komen. Toen ze zeker wist dat de oude Emma op haar zou wachten, vertrok ze.

Binnen zocht ze paps map met brieven, zijn woordenboeken, haar etui en haar schetsboek bij elkaar. De hele zomer had ze de kleurpotloden niet aangeraakt, maar nu kwamen ze goed van pas.

Binnen anderhalve minuut was ze terug in de wei. Oma Lascoux zat er gelukkig nog. De naam van haar moeder had haar waarschijnlijk nieuwsgierig gemaakt.

Emma legde de map met brieven en de woordenboeken in het hoge gras en ging naast haar naamgenote zitten. Met een zwart potlood tekende ze in haar schetsboek een bed, een meisje met open ogen, een raam waarachter de maan scheen.

Geamuseerd keek oma Emma toe. 'Joli.'

Ze schreef met vette letters 'Emma' op het vel en trok een pijl naar het meisje. Met het potlood wees ze van de naam naar het meisje naar zichzelf. 'Emma,' zei ze voor de duidelijkheid.

Oma knikte. Ze begreep dat het een zelfportret was.

Nu nam Emma haar blauwe kleurpotlood en tekende zo precies mogelijk de geest die haar de afgelopen weken bezocht had. Daarnaast schreef ze: Pauline Lefort.

De oude oma schudde nu haar hoofd. 'Maman?'

'Oui,' zei Emma. 'Wait.' Ze sloeg het blad om en tekende opnieuw de geest van Pauline. Met een ballonnetje zoals ze die in stripboeken gebruiken liet ze haar spreken. Ze tekende een hartje met een pijltje erdoorheen. Aan de ene kant van de pijl schreef ze 'mama Pauline' en aan de andere kant 'Emma'. Ze wees met haar potlood op die laatste naam en daarna naar oma Lascoux.

'Moi? Ma mère? Maman?'

Emma gloeide van opwinding. Het leek te lukken! Langzaam drong tot de oude Emma door dat ze haar iets bijzonders te vertellen had. Ze tekende er nog een tweede praatballonnetje bij. Voordat ze dat invulde, opende ze het woordenboek. Wat was het Franse woord voor 'vergeving'? Pardon! Net als in het Nederlands. Ze schreef het op: Pardon Emma.

Ze zag nu dat oma Emma over haar hele lijf trilde. Ze zou toch geen hartaanval krijgen, zoals de buurman vreesde?

Met een bibberende vinger raakte ze de tekening van haar moeder aan. 'Maman dit pardon?' Tranen druppelden een voor een over haar rimpelige wangen. Diep uit haar keel borrelde een huilerig geluid omhoog.

Emma voelde zich opeens compleet uit het veld geslagen. Daar zat ze, met een heftig snikkende oude dame naast zich.

Wat ging er allemaal om in die arme oude Emma? Had ze er wel goed aan gedaan Paulines boodschap over te dragen? Wat nu?

Gelukkig schoot mam haar te hulp. Zij had gezien dat de twee Emma's samen op de boomstam zaten. Toen ze op tien meter afstand kwam, was haar helder wat er aan de hand was. 'Mark,' riep ze, 'kom vlug. Ik geloof dat je dochter haar verhaal toch verteld heeft!'

Mam ging naast oma Lascoux zitten en nam haar troostend in haar armen.

Op zijn sloffen kwam pap aangehold. De paniek was in zijn ogen te lezen. 'Wat heb je nou gedaan?' riep hij verwijtend. 'Je weet toch wat de buurman gezegd heeft!'

Emma kromp ineen. Ze wist donders goed dat het leven in Beaumont er voor hen vanaf die dag anders uit zou gaan zien. Misschien wel helemaal niet leuk meer. Maar ze had geen andere keus gehad. Ze moest die arme Pauline wel helpen, anders zou ze haar leven lang spijt houden.

'Pourri-vous m'expliquer, s'il vous plaît?' smeekte oma Lascoux zacht. Ze wist dat pap genoeg Frans sprak om Emma's verhaal uit te leggen.

Pap zag er verwilderd uit. Hij was helemaal uit het veld geslagen. 'Expliquer,' bromde hij. 'Ja, maar hoe?'

'Doe nou maar,' spoorde mam aan. 'Nu moet ze ook precies weten wat er aan de hand is.'

Met horten en stoten vertelde pap wat Emma de voorgaande weken overkomen was.

Vanuit haar ooghoek hield ze oma Lascoux angstvallig in de gaten. Hoe zou ze het opvatten? Afwijzend, net als haar schoonzoon? Boos? Of was haar hart groot genoeg om haar moeder te vergeven?

De oude oma hoorde uitdrukkingsloos toe. Pas toen pap de munt uit de map haalde, keek ze Emma even aan.

Die knikte verlegen.

Aarzelend wees oma Lascoux naar de map. 'Puis-je?'

Met een onhandig gebaar legde pap hem in haar handen.

Ze moest hem tegen haar neus houden om te kunnen lezen. Drie paar ogen keken vol verwachting naar het omslag waarachter oma verscholen ging. Ze las bladzijde na bladzijde. Er verstreek minstens een kwartier voordat de map eindelijk naar beneden zakte.

De buurvrouw huilde zacht. Ze keek Emma recht in de ogen. De wezenloze blik was veranderd in een warme glimlach. 'Emma,' zei ze zacht, 'merci.'

Poeh, wat was ze opgelucht. Ze kende het woord 'merci' maar al te goed. Die lieve oude oma Lascoux deed niet moeilijk, toonde geen boosheid of verwijten, maar leek dankbaar dat ze het verdriet dat ze zo lang met zich mee had gedragen kon loslaten. Ze gaf pap zijn schatten terug en omarmde Emma. Minutenlang wiegden ze heen en weer.

Tranen gleden in Emma's hals. Ze wist zich niet goed raad. Daar stond ze, vastgeklemd door de bijna honderd jaar oude dochter van de geest die haar wekenlang achtervolgd had.

Oma fluisterde een eindeloze stroom betoverende woorden in haar oor.

Ze verstond alleen af en toe haar naam en het telkens weer herhaalde 'Merci.'

Toen draaide oma Emma zich weer naar pap en stelde hem de ene vraag na de andere. Na paps antwoord betrok haar gezicht.

'Venez!' De buurvrouw stond op en liep als een oude kievit naar huis. Het mandje met bramen in het gras achterlatend.

Emma schrok. Zou ze nu toch als een blad aan een boom omdraaien? 'Wat nu?' fluisterde ze naar mam.

'Ze is boos dat we het haar niet durfden te vertellen.'

'Ze wil dat we meekomen,' zei pap. 'Zouden we...'

'Natuurlijk doen we dat,' zei mam fel. 'Emma, neem je tekeningen mee.'

In de keuken van de Lascouxs heerste een grafstemming. Het leek erop dat Paulines kleindochter en haar man al die tijd krijgsberaad hadden gehouden. Emma merkte hoe ze schrokken van de invasie. De sfeer was om te snijden. Woorden kletterden over elkaar heen. Iedereen bemoeide zich ermee. De buurman wierp boze blikken naar pap en mam, maar hij verstomde toen zijn schoonmoeder vinnig haar vinger tegen zijn borst prikte. Haar ogen spuwden vuur.

Even werd het stil in de keuken, tot oma Emma het woord weer nam. Eerst verbeten, maar langzaam ontspande ze. En tijdens haar lange relaas, waarbij ze af en toe liefdevol naar Emma keek, ontspande ook de rest van het gezelschap.

Mam bracht haar mond naast Emma's oor. 'Je opdracht is volbracht,' fluisterde ze. 'Ik ben trots op je.'

Ze kreeg er kippenvel van. 'Ik voel me niet lekker,' stamelde ze. 'Mag ik naar huis?'

Het duurde niet lang voordat ze er weer bovenop was. Weg uit de drukte, frisse lucht, een glas water. Dat was voldoende om alle spanningen van zich af te schudden. De goede afloop van Paulines zoektocht naar vergeving gaf haar een enorme stoot energie. De vakantie kreeg een nieuwe start, maar dat zou niet voor lang zijn. De volgende dag reisden ze alweer naar Nederland, dus mocht er geen tijd meer verspild worden. Thomas en Steven hadden aan een half woord genoeg. Zonder verdere vragen namen ze Emma weer op in hun spel.

De dag vloog voorbij. Ze speelden met Georges alsof hun leven ervan afhing, aten taart om de oplossing van Paulines probleem te vieren, bouwden een enorm kampvuur en gingen pas slapen nadat ze meer dan twintig vallende sterren hadden geteld.

In bed vroeg Emma zich nog even af of Pauline zich nog een keer zou vertonen. Maar ze was te moe om daarop te gaan liggen wachten.

18

De dag van het vertrek was altijd vreemd; een overgang tussen 'hier' en 'daar' – tussen lekker niks hoeven en alles moeten. Dat 'moeten' begon al met het opruimen en schoonmaken van het huis. Mam dwong de kinderen hun speelgoed in de kasten op te bergen en hun tassen in te pakken. Daarna joeg ze hen naar buiten. Ze wilde het huis van boven tot onder poetsen en kon daar geen indeweglopers bij gebruiken. De enige plek waar ze nog mochten komen, was de keuken.

Ze vluchtten naar Georges. Die zat weer eens achter zijn computer, midden in een bloedige veldslag.

'Zullen we naar buiten gaan?' stelde Thomas voor. 'We moeten straks uren op onze kont zitten. Let's play jeu de boules. Dat hebben we de hele zomer nog niet gedaan!'

'Ja, leuk,' zei Steven. Hij kon de volgende dag weer zijn eigen computerspelletjes spelen, dus vond hij het niet erg om nog één keer iets typisch Frans te doen.

Georges sloot zijn spelletje af. Hij wilde maar al te graag dat laatste uurtje met zijn vrienden doorbrengen.

'Ik haal de ballen wel,' zei Steven.

De rest ging alvast naar de grote schuur. De vloer tussen de voederbakken was de enige plek in het hele dorp die groot en vlak genoeg was om jeu de boules te kunnen spelen. Ze zetten de zaagbok en de ladder aan de kant en veegden het stof en de takjes naar buiten.

Het spel leek eenvoudig. De jongens lukte het telkens weer hun zware ijzeren ballen dicht bij het gele balletje te gooien, of de bal van hun tegenstanders weg te ketsen. Maar Emma's ballen vlogen overal heen, behalve waar ze ze hebben wilde. Ze had er gewoon geen talent voor.

'This is no sport for girls,' zei Georges met een valse grijns.

'Je wordt bedankt,' reageerde ze. 'Ik vind er niks aan. Doei-doei!'

'Je kunt niet zomaar weggaan,' protesteerde Thomas. 'Zo heb ik geen teammaat meer.'

'Zoek het maar uit,' zei ze, zonder om te kijken. Ze lokte Lili naar zich toe en ging met haar op het trapje voor het huis zitten. Lekker genieten in de zon.

Om een uur of twaalf plofte pap oververhit naast haar neer.

'Pfff, wat is het heet,' zei hij. 'Ik geloof niet dat ik het ooit zo extreem heb meegemaakt. We vertrekken pas als het donker is. Ik heb geen zin om de hele dag in de file te staan bakken.'

'Yes!' juichte Emma. Ze kreeg zomaar een hele vakantiedag extra om wat van de verloren tijd in te halen! Te beginnen met lekker soezen in de zon, samen met Lili en pap.

Oma Lascoux wandelde hun straatje in. Bij het zien van haar vriendelijke gezicht voelde Emma opnieuw de opluchting.

'Bonjour, chérie,' zei oma. Dankzij haar kromme rug hoefde ze zich niet te bukken om haar een dikke zoen te geven. En toen ging ze zomaar naast Emma en pap op de stoep zitten. Ze streek de plooien van haar jurk glad en begon te praten; aan één stuk door. Een waterval van woorden. Die anders zo stille oma!

Verwonderd hoorde ze het aan.

Af en toe onderbrak pap oma Lascoux om haar verhalen samen te vatten. Hij kon niet alles volgen, omdat ze in een snel tempo doorratelde, maar het belangrijkste pikte hij wel op.

Ze vertelde de ene na de andere herinnering. Het kattenkwaad dat ze samen met Albert en Victoria uithaalde. De avonturen die ze fantaseerden als ze door de bossen naar school liepen. De kunstjes die ze haar lievelingsvarken aanleerde. Logeerpartijen met neefjes en nichtjes. De oogstfeesten in het dorp. De mooie jurken die haar moeder elk jaar voor die feesten maakte. De ogen van oma Emma straalden.

Het viel Emma op dat het allemaal blije herinneringen waren. Tijdens een korte pauze kreeg ze de kans de vraag die op haar lippen brandde te stellen: 'Ik dacht dat ze een verdrietige jeugd gehad had. Waarom vertelt ze daar niets over?'

Pap vertaalde de vraag.

Met een vertederende glimlach keek oma haar aan. Ze pakte haar handen vast. Emma kreeg er kippenvel van.

Oma vertelde en vertelde. En weer klonk er geen boosheid in haar stem.

'Wat zei ze?' vroeg Emma toen ze eindelijk uitgepraat was.

'Haar moeder Pauline was een bijzondere vrouw. Ze heeft het heel moeilijk gehad. En toch was ze lief en vrolijk. Vader Jules was altijd ziek. Als hij niet in bed lag, zat hij in zijn stoel. Van daaruit commandeerde hij de hele dag wat Pauline moest doen. In het huishouden, op de boerderij. Het was hard werken! De kinderen mochten thuis geen herrie maken. Vooral de meisjes. Albert kon wel een potje breken, omdat hij zijn vaders oogappel was. Hij was een lief broertje, maar wel een zorgenkindje. Om de haverklap was hij ziek. Zonder moeder Pauline hadden Emma en Victoria een beroerd leven gehad, maar met haar humor en liefde maakte ze iedereen gelukkig. Zelfs die mopperige vader. Natuurlijk kreeg Albert veel aandacht, maar Emma had nooit het gevoel dat ze niet meetelde. Moeder vertelde elke avond een verhaal, zong een slaapliedje en stopte haar kinderen onder de wol. Soms knuffelde ze hen net zo lang tot ze in slaap vielen. Emma was bijna vergeten hoe gelukkig ze vroeger was, maar jij hebt al die herinneringen weer wakker gemaakt.'

'Ja maar...' Emma wist het even niet meer. 'Maar de geest... eh Pauline zei dat ze het leven van haar dochter verpest heeft.'

'Ja, dat klopt,' zei pap. 'Maar anders dan ze dacht. Toen Albert doodging, knapte er iets in Pauline. Het verdriet kostte haar zo veel energie, dat ze het huishouden en het werk op de boerderij verwaarloosde. Maar ook Emma had verdriet, en dat zette ze om in boosheid. Ze was boos omdat haar broertje dood was. Maar ook omdat haar moeder zo diep in de put zat, en omdat haar vader in zijn machteloosheid nóg meer aandacht vroeg. Ze was boos op God, die hun leven verwoest had. Emma durfde haar woede aan niemand te laten zien. Ze zag maar één oplossing om de toestand te verbeteren: werken. Samen met Victoria nam ze alle taken van hun moeder over. Zo hoopten ze het oude geluk terug te winnen, maar dat lukte niet. Ook niet toen Pauline weer probeerde de draad op te pakken. Daar kreeg ze de kans niet eens voor, omdat Emma en Victoria het roer van het huishouden stevig in handen hadden. Ze wilden het niet meer afgeven. Emma's boosheid verplaatste zich langzaam naar haar moeder. Ze gaf Pauline de schuld van de ellende en verdreef alle mooie herinneringen uit haar geheugen. Dankzij jouw hulp heeft ze die nu weer teruggevonden. Ze beseft dat ze zelf net zo veel schuld aan de verloren jaren heeft als haar moeder. En ze is je ontzettend dankbaar dat je haar met haar moeder hebt verzoend.'

Emma kreeg een brok in haar keel. Al die verschijningen waren haar niet in de koude kleren gaan zitten, maar nu ze erop terugkeek was ze blij dat ze Pauline geholpen had.

'Emma, ma chérie,' zei oma. Ze sloeg haar armen weer om Emma heen. 'Merci.'

'Graag gedaan!'

Oma Lascoux nam afscheid en liet pap en Emma met hun gedachten achter.

'Emma, ik ben trots op je,' zei pap. 'Je bent een ontzettend dapper kind. Dat moet Pauline gevoeld hebben.'

Gek, zo had ze het nog niet bekeken.

Mam opende het slaapkamerraam. 'Ik ben kapot van al dat poetsen,' zei ze. 'Als we dan toch langer blijven, houd ik een siësta.'

'Goed idee,' zei pap. 'Ik doe mee.'

Emma vond het wel lekker zo, onder de stralende zon, de kat spinnend op haar schoot. Ze tilde Lili op en gaf haar een dikke zoen op de neus. Ze kreeg een krasserige lik terug. Dromerig keek ze uit over de velden, nog steeds beduusd van wat ze zojuist had gehoord.

Steven haalde haar terug in de werkelijkheid. Hij leek wel een vogelverschrikker met zijn haren vol hooi.

'Hebben jullie in het hooi gejeu-de-bould?' vroeg ze. 'Wat zie jij eruit!'

'Nee, met zijn drieën jeu-de-boulen is niet leuk. Georges en Thomas zijn met de katapult aan het oefenen en ik heb nog een laatste keer de hut verbouwd; een vette gang met een bocht erin. Daar kunnen we in de herfstvakantie zo in!'

'Of nu al,' stelde Emma voor.

Steven aarzelde. 'Denk je? We vertrekken zo.'

'Nee hoor,' zei ze. 'Pap en mam vinden het veel te heet om te rijden. We blijven hier tot de avond.'

'Echt waar?'

'Echt waar! Laat me die nieuwe hut maar eens zien.'

Met de poes onder de arm klom ze de ladder van de hooizolder op. Lili spartelde tegen, maar het lukte haar niet zich los te wurmen. Het hooi lag anderhalve meter hoog opgestapeld.

'Waar is de ingang?' vroeg Emma.

'Daar, in de hoek.'

Lili sprong van haar arm in het hooi. Ze zakte meteen weg in een gat.

'Die heeft al een gang gevonden,' lachte Emma.

'Leuk hoor,' mopperde Steven. 'Weet je hoe lang ik daarmee bezig ben geweest?'

De laatste vakantiedag vloog om. De brandende zon verdween achter de heuvels. Het werd langzaam donker en een beetje koeler. De volgepakte auto stond klaar voor het vertrek.

Maar voor het zover was, gingen ze 'au revoir' zeggen bij de buren. Pap had de map met brieven onder zijn arm. Mam was trots op hem dat hij zijn schatten af wilde geven, maar pap vond het de gewoonste zaak van de wereld. Het waren immers persoonlijke stukken van oma Lascoux, ook al waren ze bij de verkoop in het huis blijven liggen.

Het lukte niet om het afscheid kort te houden. Mevrouw Lascoux eiste dat ze nog samen iets dronken. Ze duldde geen protest en schonk zelfgemaakte kersensiroop in de glaasjes.

Emma en de jongens hadden geen zin in gesprekken die ze niet konden volgen. Ze slurpten vlug hun limonade op, zodat ze nog even buiten met Koket konden spelen.

Maar de oude oma Emma hield haar tegen. 'Attends,' zei ze. Ze haalde een pakje van de kast en gaf het aan haar. 'Pour toi.'

Emma scheurde het papier van het cadeau. Er zat een levensechte knuffelpoes in. Net zo zwart als Lili. Ze was overdonderd door dit prachtige cadeau en stamelde: 'Merci.'

Pap herinnerde zich zijn geschenk. Stotterend overhandigde hij de map met papieren aan oma.

'Non,' zei ze beslist.

Ze wilde de map niet hebben, maar pap hield zijn poot stijf. Hoofdschuddend pakte ze hem aan. Ze bladerde erin, tot ze de juiste pagina gevonden had. Uit een van de vakjes haalde ze Paulines munt. Ze mompelde iets tegen Emma.

'Ze wil dat jij hem houdt,' fluisterde pap. 'Je hebt hem cadeau gekregen van haar moeder.'

De munt gleed in Emma's handpalm. 'Merci,' zei ze nog een keer.

Even later reden ze het dorp uit. Georges rende zwaaiend en joelend achter hen aan.

Bij het bordje Beaumont zag Emma vanuit haar ooghoek een schim langs de kant van de weg. Verrast draaide ze zich om. Het was Pauline. De geest hief haar hand op, als teken van afscheid. Een rilling liep over Emma's rug. Zou ze haar toch blijven achtervolgen? Maar toen leek Pauline als door een windvlaag te worden weggeblazen. Ze loste op in de duisternis.

Hoe goed Emma ook verder tuurde, ze ving enkel nog een glimp op van hun geliefde huis, wachtend op een volgende vakantie…